婚約者様には運命のヒロインが現れますが、暫定婚約ライフを満喫します！
1
～あなたの呪い、嫌われ悪女の私が解いちゃダメですか？～
なあおーん

「呪いも解けて、運命のヒロインと出会って幸せになるんです。だから、怖がらなくて大丈夫」
うみゃ！

うにゃおん
にゃあーん

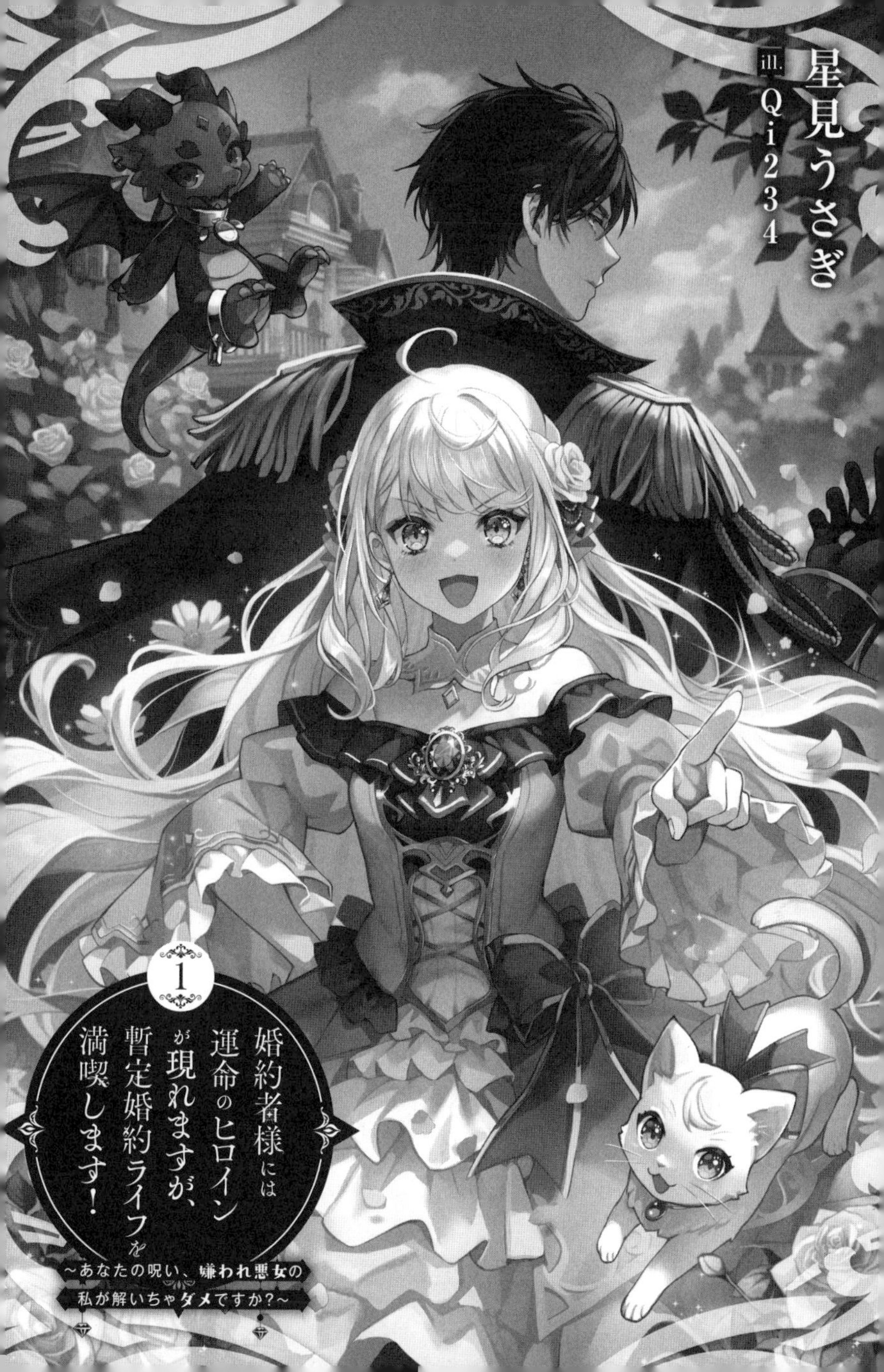

星見うさぎ
ill. Qi234
1
婚約者様には運命のヒロインが現れますが、暫定婚約ライフを満喫します！
~あなたの呪い、嫌われ悪女の私が解いちゃダメですか？~

C H A R A C T E R

ルシル・グステラノラ

婚約破棄され、辺境に送られた侯爵令嬢。前世は世界一愛された白猫だったため、とんでもなく自己肯定感が高い。暫定婚約ライフを満喫する。

前世

リリーベル

ルシルの前世であり、8人の飼い主とともに生きた、愛され白猫。全ての猫ちゃんがそうであるように、生きているだけで可愛いし、どんな時も尊い。

フェリクス・レーウェンフック

ルシルの暫定婚約者。呪われ辺境伯と呼ばれている。嫌われ悪女であるルシルの噂を耳にして警戒していたが、無自覚に彼女に惹かれていく。

カイン・パーセル

フェリクスの側近であり、レーウェンフックの騎士。甘い顔立ちで軽薄な雰囲気を持つが、誰よりもフェリクスを大事に思っている。

アリーチェ・ロハンス

フェリクスに夢中な伯爵令嬢。フェリクスやカインとは幼馴染。突然フェリクスの婚約者となったルシルを目の敵にするが……？

マオウルドット

森に封印された黒いドラゴン。伝説的な生き物であり、最強のはずだが、なぜかルシル《リリーベル》にはとても弱い。

リリーベルの
歴代
飼い主たち

1 大魔女 アリス

2 大聖女 クラリッサ

3 天才料理人(S級冒険者)
マシュー

4 大商人(世紀の錬金術師)
コンラッド

5 大国の王女
ローゼリア

6 異世界人 ヒナコ

7 勇者 エフレン

8 孤児の男の子
???

CONTENTS

プロローグ

馬鹿みたいな断罪されたら予知夢を見た

「ルシル・グステラノラ侯爵令嬢！　お前がその忌まわしい闇の力で俺の愛するミーナに呪いをかけたことは分かっている！　この俺の婚約者でありながら残虐非道な行い到底許せるものではない！」

「は？」

王宮で開かれた王子の誕生パーティーで、主役であるバーナード第二王子殿下に大声で言われた言葉に、思わず淑女らしからぬ間の抜けた声が出た。

「可哀想なミーナはお前の呪いに体を蝕まれて辛い治療に耐えることになったのだ！　そんな所業がこの俺にバレないとでも思ったのか」

ツッコミどころがありすぎて何を言えばいいのか分からない。

そもそもバレるバレない以前に全く身に覚えがない。

バーナード殿下に縋《すが》り付くようにして立つミーナ様は男爵家のご令嬢で、最近では彼とところかまわず人目も気にせずイチャイチャイチャイチャしているとの噂が私の耳にも入っている。

金髪に紫色の瞳を持つ華やかな人だ。出るところは出ていて、引っ込むところは引っ込んでいる。

金髪で青い瞳の私と色合いはそこそこ近いのに溢れる色気が全然違う……。ついでにいうと泣きボクロがエロい。

うん、見るからにバーナード殿下の好みのタイプね。

殿下の好みは華やかで派手でセクシーなお姉さん系魔性の美女だ。対して私は小柄でどちらかと言うと童顔なタイプ。私だって実は出るところはちゃんと出ているはずなんだけれど、着やせするのかそうは見えない。うーん、不公平よね！

それでも、「殿下のお心をつかめ」というお父様の命令で普通の人間は立つのも難しいのでは？　というレベルの高い厚底ヒールを履き、なるべく体格がよく見える姿勢を心がけ、派手なドレスを着て、化粧が得意な侍女にいつも疲れるほど長い時間をかけてセクシー美女に見えるように厚塗りメイクをしてもらっていた。もはやお絵描きレベルだ。

つまりものすごく、ものすごく努力した。私も侍女も。

それなのに、結局好みの美女に掻《か》っ攫《さら》われるんかい！

というかいつも人前で元気にイチャイチャしていたのに、辛い治療とは一体……？

「本当ならば罪人のお前を処刑してしまいたいところだが、優しいミーナの願いで命をとることまではせん。女神のようなミーナに感謝することだな」

「はあ」

処刑だなんて物騒な。

話がぶっ飛びすぎていて全くついていけず、また間抜けな相槌《あいづち》を打ってしまった。

なんというか、バーナード殿下ってこんな人だっけ⁇

「しかし、罪に対してなんの罰も与えないわけにはいかない！　よって、この俺との婚約を破棄し、さらにお前には『呪われ辺境伯』との婚姻を命ずる！」

高らかに宣言されたそれに周りの貴族たちがざわついた。

『呪われ辺境伯』

それは我がエルダール王国の国防の要、レーウェンフック辺境伯をさしている。

いやいや、いくら呪われてるともっぱらの噂とはいえ、国にとっても大事な存在である辺境伯との婚姻を罰のように扱っていいの？

なんて思った次の瞬間、突然猛烈な頭痛と眩暈《めまい》に襲われた！

（あ、やばい、今倒れたらまるで婚約破棄されたことや罪が暴かれたことがショックみたいじゃない――）

別に私に罪なんて、ないのに！

そう思ったのを最後にぐらりと視界が揺れ、プツリと意識が遠のいた。

🐾

「あなたは本当に、私のことを微塵も見てはくれないのね……！」

自分の声とは思えないほど、恐ろしく低い声が漏れ出る。

ありえない冤罪《えんざい》を着せられてレーウェンフック辺境伯と婚姻する羽目になり……それでも、見目麗しい彼ならばと妻であることを受け入れたのに！

あろうことかあの男は婚姻後も私を顧みることはなかったのだ。

『俺は君のような心の醜い愚かな女が一番嫌いだ』

夫婦となってすぐに言われたその言葉に怒りが湧き上がり、手当たり次第に物を投げ部屋をメチ

ヤクチャにしてやった。

それでもともに時間を過ごせば気が変わるかと思っていたのに、レーウェンフック辺境伯……フェリクスは私をことごとく避けた。

苛立ちまぎれに使用人に鬱憤をぶつければそんな時ばかり私の前に現れる。

『このように平気で使用人を傷つけるとは……やはり噂通りの悪女だな。陛下に命じられた婚姻でなければ、すぐにでも離縁しているだろう』

そう言ったフェリクスの氷のように冷め切った蔑んだ目！

アレは女嫌いだから。アレは人間嫌いだから。

フェリクスの気持ちも考えてやろうと、そう自分を納得させて時間をかけて私に許しを乞うのを待ってやろうと妥協していたのに……。

あろうことか、婚姻から一年経った頃。

忌々しいあの女が現れたのだ。

美しいストロベリーブロンドに、エメラルドのような輝く瞳。私の闇属性魔法と同じくらい希少な光属性魔法を持ち、鼻持ちならない綺麗事ばかり言う嫌みたらしい女。

エルヴィラ・ララーシュ！

フェリクスは……フェリクスはあろうことかあんな女を愛した。

そしてあの女も――。

二人はいつも一緒にいた。寄り添うように歩き、愛を囁《ささや》き、甘く見つめ合う。

『ルシルさん……そうやって、怒りばかりを周りにぶつけて、フェリクスを苦しめるのは虚しくないですか』

私が妻だと詰《なじ》れば、あの女は忌々しくもそう吐き捨てる。

罰として命じられたはずの婚姻は、いつのまにか私が彼にしがみついていると言われるようになった。

私は憎しみを募らせ、怒りを燃やし、嫉妬に駆られ、ついにエルヴィラを排除することに決めた。

……失敗した。

私は魔力が人並外れて強かった。その上に憎悪で膨れ上がった闇魔法は制御できずに暴走して、エルヴィラどころか辺境全体を襲ってしまったのだ。

それをあろうことかエルヴィラの光魔法が退け、彼女は聖女と崇められるようになった。

皮肉なことに私のお陰であの女はその力をさらに強大なものにして、『呪われ辺境伯』と揶揄《やゆ》されていたフェリクスの呪いさえも解いた。

私は今度こそ大罪人として処刑されることが決まり、晴れて私と縁を切ることができたフェリクスはエルヴィラを正式な妻に迎えることになる。

そのことを牢で聞いた私はもはや涙も出なかった。

物語はハッピーエンド。

悲劇の呪われ辺境伯は聖女に救われ悪女を倒し、二人は永遠に幸せに暮らしました。

めでたしめでたし。

……じゃあ、私は？

バーナード殿下にも、フェリクス・レーウェンフックにも最後まで見てもらえず、蔑《ないがし》ろにされた可哀想な私は？

私だけが、悪かったと言うの――？

私だけが――


ハッと目が覚めた。汗と涙が滲《にじ》んでいる。

どうやら夢を見ていたらしい。悪夢だ。

おまけにただの夢じゃないと本能的に分かった。

私が見たのは、予知夢だ。

予知夢を見たついでに、私は思い出していた。

予知夢をよく見ていた頃の記憶を。

それは私が私として生まれる前に別の存在として生きていた頃の記憶。

つまり、前世の記憶を……。

1章

暫定婚約ライフを満喫します！

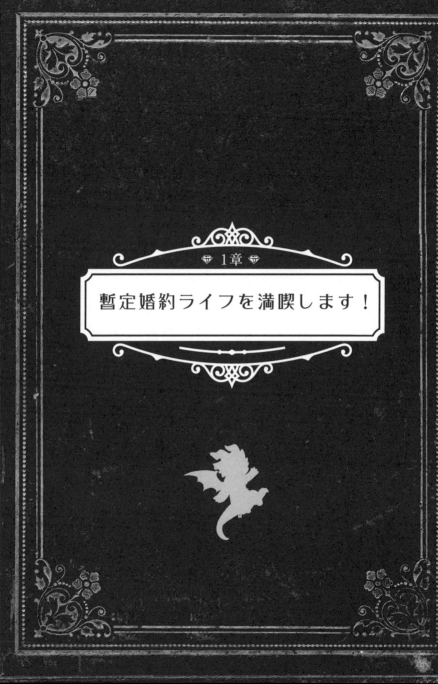

私は今、馬車に揺られている。

信じられないことに、私は本当にレーウェンフック辺境伯の元へ送られることになった。

なんとか抵抗しようとしたものの、即結婚ではなく婚約という猶予を与えられるだけにとどまった。つまり、一年間は婚約者だ。エルヴィラが現れるまでの期間も一年だから、実際に結婚まで進むことはないだろうと予測する。

まあとにかく、今の私はいわば『おしかけ婚約者』というわけね。

バーナード殿下があれだけ大勢の前で声高らかに宣言してしまったから、全く何も無しというわけにはいかないなどと言われたのだ。

何も無しでいいじゃない？　って思うのだけど、どうもそうはいかないらしい。

なんとか冤罪で済んだだけましかしら？

私は辺境まで馬車で運ばれながら予知夢について考えていた。

基本的に予知夢は本当に起こる未来そのものだけれど、もちろんその未来を変えることはできる。

夢で見ることで私の心境や起こる出来事への考え方も変わるしね。

未来が無数にある中で、一番実現確率の高い未来を夢で引き寄せて見るらしい。

そして予知夢はたいてい悪夢だ。

夢で、数ある未来の一つを見るのは前世の私の能力だった。

前世の私は――猫だった。

名前はリリーベル。真っ白でツヤツヤな毛並みとブルーの瞳がとても美しい猫だった。

最初の飼い主は大魔女アリス様。

アリス様は魔族と人間のハーフで長い寿命を持ち、大魔女の名にふさわしく魔法で彼女に敵《かな》うものなど一人もいなかった。

そして長い寿命を一人で生きるのは寂しいと、溺愛していた前世の私、白猫リリーベルに魔法をかけ、自分と同じような長い寿命を与えたのだ。

私が予知夢の能力を手に入れたのはこの時。予知夢は元々アリス様の持つ闇魔法の能力の一つだった。

アリス様と命が共鳴したことで、彼女とともに予知夢を見るようになったのだ。

しかし彼女はそう長く私とともにいることはなく、殺されてしまった。

残されたのは長い寿命を得た私。

次の飼い主は当時の聖女クラリッサ様。

クラリッサ様はアリス様が私にかけた魔法を解くことができない代わりに、長い寿命を健やかに生きていけるようにと聖魔法をかけてくれた。

私は聖女クラリッサ様がお勤めの時にはいつもそばにいて、心を病んだ人の慰めになり、白猫リリーベルはいつしか聖なる猫と呼ばれるようになった。白い毛並みも神聖さの演出に一役買っていたように思う。

しかし聖女も人の子。クラリッサ様も私を置いて死んでしまった。

次の飼い主は天才料理人マシュー。

こだわりの強い彼は自ら貴重な食材を探しに冒険者も兼業するような超肉体派。

彼のおかげで私もとんでもグルメ猫になってしまったのよね。

次の飼い主は大商家の跡取り息子コンラッド、その次はとある大国の王女ローゼリア、その次は召喚されてこの世界にやってきた異世界人のヒナコ、そのまた次は選ばれし勇者エフレン――。ある時は野良猫としてそこら一帯のボス猫になったこともあったわね。

私と生きた誰もがみんな私を心から愛し、可愛がった。

白猫リリーベルの最後の飼い主は、親に捨てられ、周りにいじめられ、まともにご飯も食べられない、孤児の男の子。名前はなかった。

とても優しくて魂の綺麗な子だったのに、その美しさに周りの人間は誰も気がつかなかったのだ。

あんなに綺麗なのにそれが分からないなんて、とっても可哀想。

ずっとそう思っていた。

その子は悪魔召喚の生贄《いけにえ》として飼われていた。

私は最後、その身代わりとして召喚魔法陣に飛び込んだのだ。

そのまま意識がなくなって終わり。

悪魔がどうなったのか、あの子がどうなったのか、何も分からない。

「まあでも、バーナード殿下と結婚しなくてよくなったのは嬉しいわよね。辺境なら王都では手に入らない珍しい食べ物なんかもあるかもしれないし」

馬車の窓に映る自分を見る。そこには作り上げられた派手セクシー系お姉さんっぽい美女が映っている。

ずっと私の専属侍女だったレイシアが、「お嬢様の戦闘モードは私が作り上げます！」と涙を浮かべながら、もはやすっかりなじんだ厚化粧を施してくれたのだ。

くよくよ悩んだり難しいことを考えるのはあまり好きじゃない。それよりは未来を知った上で最悪の結末だけ回避して、あとは楽しみたい。

（エルヴィラが現れたらさっさと身を引けばいいよね！）

頃合いを見て、死んだことにでもして失踪すれば、フェリクス・レーウェンフックとエルヴィラは問題なく結ばれるだろう。

うん、そうよ。それがいいわ！　そしてその後は前世のように自由気ままに生きよう。

誰かと一緒に生きるのも好きだし、野良猫だった時みたいに一人で生きることだってできる。

一年なんて待たずになんなら今すぐにばっくれてもいいかも？　とも思ったけれど、万が一王家の命令を蔑ろにしただとかレーウェンフックが難癖つけられても後味が悪いしね。

――なんて、呑気《のんき》に思っていたのだけれど。


「はるばるご苦労。俺がこのレーウェンフックの領主、フェリクス・レーウェンフックだ」

（ふ、ふわあああ!!）

馬車から降りた私は、目の前に立つ本物のフェリクス・レーウェンフックに度肝を抜かれた。

「は、初めまして、ルシル・グステラノラと申します……」

思わず声も手も足も震える。ガタガタのブルブルよ？

それでもなんとか声を絞り出し、淑女の礼をする。

顔を上げるとフェリクス・レーウェンフックは片眉を上げ睨《にら》むように私を見ていた。

（うっ！　まぶしいっ！　まるで後光が差しているようだわ！）

――なんって魅力的なオスなのでしょうか！

ダークグレーの髪、金色の瞳。眉間《みけん》に人差し指が差し込めそうなほど皺を寄せて不機嫌そうな顔。王都の騎士様よりもずっと体が大きくて、威圧感たっぷりで。その眼差しは目で人が殺せそうなほど鋭く冷たい。

実はレーウェンフック辺境伯は令嬢たちにとって恐怖の対象らしい。予知夢の私が満更でもなかったように決して醜いわけではないのだけど、それを引いて余りあるほど怖いのだ。それに令嬢に人気なのはもっと儚げだったり中性的だったりする優男《やさおとこ》風。反対に彼は無愛想で無表情。ついでに女嫌い、人嫌いと言われている。

（おまけに呪われ辺境伯だしね）

だからこそバーナード殿下がこの人との婚姻を罰だなんてふざけたことを言い出したわけだけど。

どうも王都の噂によると彼やこの土地は本当に呪われているらしいけれど、詳しいことはよく知らない。

……が！

そんなことどうでもよくなるほど、カッコいい～～～！

あまりの興奮に体が熱くなり汗まで出てきた。

（ダメよ、こんなの私が変態みたいじゃない！）

そう思ってせめて顔が気持ち悪くニヤけないように奥歯をギュッと噛んで、表情を引き締める。

レーウェンフックはそんな私をギロリと睨んだ。

（ぎゃあああ！　そのひと睨み、金貨払える！）

内心ハアハア悶《もだ》えていると、レーウェンフックは顔を歪めて吐き捨てた。

「君の噂はこのレーウェンフックにも届いている。俺は君のような心の醜い愚かな女が一番嫌いだ」

「はい！　ありがとうございます！」

「……は？」

「ハッ！　間違えましたわ！」

予知夢でも言っていた、聞き覚えありまくりなセリフに、まるで舞台俳優が名ゼリフを私のためだけに囁いてくれたような錯覚に陥ってしまった。

いけない、いけない。どこに罵倒されて感謝する令嬢がいるのよ。

正直こんなイケメンに与えられるなら罵倒もご褒美ですけど！

だってリリーベル時代に「こんな素敵なオス、生まれ変わっても出会えっこない」と思って引っ付き回った、黒猫のエリオットよりカッコいいんだもん！

「こほんっ！　……大丈夫ですわ、あなたの気持ちは分かっていますし、私は自分の立場をわきまえていますから」

にこりと微笑んで答えると、怪訝《けげん》な顔をされてしまった。

取り繕うのが遅かった気がするけれど、どうせ嫌われているのだからまあいいわよね。

とりあえず、フェリクス・レーウェンフックのあまりの麗しさに、さっさと逃げてしまおうかなどという考えは一瞬で吹き飛んだのだった。

彼の運命のヒロインであるエルヴィラ・ララーシュ……彼女が現れるまで、この素敵な男性の婚約者を満喫してもバチは当たらないじゃない？

そう思ったのだ。

まあどうせ、形だけ、名ばかりの婚約者だけどね！

その後レーウェンフックはさっさと屋敷に引っ込み、私のそばには同じ年くらいの侍女が残った。

「サラと申します。お部屋にご案内させていただきます」

「よろしくね、サラ」

先導するように歩き始めたサラのあとをついていく。だけどなぜか正面に見える屋敷をぐるりと迂回《うかい》するように回り込む。不思議に思いながらも何も聞かずに歩いていくと、大きな庭園を抜けた先に隠れるようにして建つ離れにたどり着いた。振り向いてみると、ここからは本館がほとんど見えないようになっている。

(なるほど。レーウェンフックは私のことがそうとう嫌みたいね)

とはいえ離れは外観も建物の中も綺麗で、全然問題ない。

むしろあの魅力溢れるレーウェンフックと同じ建物だなんて興奮しすぎて眠れなさそうだから、私としてはありがたいくらいだわ。

好きな部屋を使っていいと言われたので日当たりがよく、バルコニーに出ると目の前が庭園になっている二階の一室を選んだ。

「何か御用がある時にはこの水晶でお呼びください」

使用人たちによって荷物が全て運び込まれると、サラはそう言って部屋を出て行った。

渡されたのは通信用水晶だ。魔力を通すと対になっている小さな水晶が反応する。さすが辺境伯家！　これはとても高価なもので、裕福な家にしかない。普通は魔力なんか使わないただのベルが一般的だ。

違和感を覚えたのは部屋で一人になってしばらく経った頃だった。

恐る恐る部屋の外に出てみる。

私は廊下を少し歩いて立ちすくんだ。

（だ、誰もいない……！）

しんと静まり返った建物内。私が足を止めれば本当に小さな物音一つしない。

え、本気で誰もいないの？　この離れの中に、私一人きり？

「サラ……？」

恐る恐る呼んでみると、返事の代わりにカサ！　と音がした。音の先には何やら見たこともない虫が這っていた。

……綺麗だと思っていたけれど、実はそうでもないのかもしれない。

なるほど。レーウェンフックはなかなか性格の悪い男らしい。イケメンだけど。

普通、一人も使用人がいないなんてありえる？　それに私はこのレーウェンフック領に今日初めて来た人間よ？　それに、いやいや押し付けられたとはいえ一応婚約者なのに。

おまけに私がバーナード殿下に婚約破棄されたことに激怒したお父様が侍女の一人も連れて行くことを許さなかったから、本当に一人きりでここまでやってきたのに。

ちなみにずっと私の専属侍女だったレイシアは、私が不憫《ふびん》だと泣いていた。

「ルシルお嬢様の悪評だって、旦那様のご指示に嫌々従っていた態度をあのポンコツ王子がこれみよがしに悪くとって吹聴したせいじゃないですか！　ルシルお嬢様ときちんと接すれば、不器用だけど優しくて、分かりにくいけど愛情深い方だってすぐに分かるのに！」

そうやって大泣きしていたレイシア。あんなに私のために怒って泣いてくれる人がいるだなんて、私ったらとっても幸せ者よね。

だけど、記憶が戻る前の私ったら、そんなに不器用で分かりにくかったかしら？

レイシアはもちろん私についてくると強く主張してくれていたけれど、彼女を雇っているのはお父様で、そのお父様との契約があるかぎりそれは叶わなかったのだ。

（それにしても、用があったら呼べって言っても、建物内にはいると思っていたわ）

どうしようもない時は仕方ないから本館から来てやるぜ、っていうことだったらしい。

「うーん、そうなると意地でも呼びたくないわよね？」

私は意外と負けず嫌いだ。そして別に一人でも全く困らない。

とりあえず離れの中を全部回って、他の部屋や厨房、掃除道具の場所や浴室、書斎などを確認してみた。

書斎には本がたくさんあって暇つぶしに良さそうだし、厨房には食材が溢れるほどあった。

おまけに水晶だけじゃなく、この離れの屋敷には高価な魔道具がふんだんに使われていて、食材は腐ることなく保存できるようになっているし、浴室には簡単にお湯が出る。

なんだかめちゃくちゃ快適に過ごせてしまいそうな気がする。

多分すぐに私が水晶で呼び出すことを見越してのささやかな嫌がらせのつもりだったんだろうけ

ど、私相手にはこんなの全然効果ない。

「むしろ今までムカつくバーナード殿下の婚約者として、王子妃教育にガチガチに縛られてたことを思うと、解放感すら感じるわ～～」

嫌がらせの方向性が「四六時中監視をつける」とかじゃなくてよかった、よかった！

とりあえず、歩き回っている間にお腹が空いてきたので、厨房にあったそのまま食べられるパンを食べた。

明日は料理とかしてみちゃおっかな？　グステラノラのお屋敷ではそんなことできなかったし。

ちなみにパンはめちゃくちゃ美味しかった。

嫌がらせしたいならあんまり美味しくないパンとかおいておけばいいのに……。

多分、この意地悪を考えた人は、きっと元々善人なのね。だから結局、貴族の待遇としてあり得ないことまではできても、人として品のないことまではできないんだわ。そう思うと頑張って考えてくれた嫌がらせに対してなんにもダメージを受けていないことが申し訳ない気もしてくるけれど、こればかりは仕方ないわよね。だって平気なんだもの。

そう思いながら、私は二つ目のパンに手を伸ばしたのだった。うふふ、本当に美味しい！


レーウェンフックの離れで暮らし始めて早三日。

私は本館がある方とは逆側に広がる芝生でごろんと寝転んでいた。

「はあ～芝生あったか～い。ん～ん……」

お日様の温もり。幸せだ。

前世を思い出さなければこんなはしたない真似はできなかったかもしれない。けれど猫だった私は日向ぼっこの気持ちよさを知っている。

（どーせ誰も見てないものね！）

リラックスしてゴロゴロしているうちに、どうやら私は眠っていたらしい。

はっと目を覚ますと、体のあちこちにモフモフ感を感じた。これは、懐かしい感触……。

ゆっくりと目を開ける。

私の体にくっつくようにして、三匹の猫がくつろいでいた。

「んなっ、誰？」

思わず驚いて声を出しても、完全無視で気持ちよさそうに目を閉じたまま。

まあいっか……。

適当にゴロンと寝返りを打つと、猫たちもおのおの収まりの良い位置を探し直して寄り添った。

どうやらこの猫たちはこの辺に住む野良猫らしい。

猫は感覚が人より鋭敏で、魔力を感じたり見たりすることに長けている。私もそうだった。リリーベルの記憶を取り戻して、このルシルの体でも前より他の魔力を感じられるようになったから、私の感覚は猫寄りになっているのかも？

すると、この猫たちは私を猫認定しているのかもしれない。

猫同士くっついてゴロゴロするのは至福だものね。

……それにしては猫ちゃんが次から次にやってくる。そして、皆私にくっつく。

目を覚ました時には三匹だった猫ちゃんがまた一匹、もう一匹と増え、溶けたように重なり合って、もはや何匹いるか分からない。

猫に溺れそうだ。

(カリスマ猫だったリリーベルの記憶を取り戻したから、こんなにモテてるの？)

なんにせよ、このひとりぼっちの離れで友達ができたことはなかなか悪くない。

それに人間として猫ちゃんいとかわゆしという気持ちは忘れていない。つまり私、ルシルは大の猫好きだ。猫に圧死させられるなら悪くないと思うほど。

とりあえず、顔の横にいる子のお腹で深呼吸して英気を養った。

そろそろお腹が空いたわね……。

厨房に何があったか思い浮かべながらあれこれ考える。

ちなみに昨日、料理に初挑戦してみたけれど、初めてのわりにはまあまあ上手くいったと思う。

リリーベル時代の三番目の飼い主、冒険する料理人マシューが料理する姿を飽きるほど見ていたから、できる気はしていたのよね。私はとても器用だし。猫だったからこそ、自分の想像した通りに体を動かす能力が元々備わっているのだ。

「ふふん！　こうなったらもっともっと美味しい料理を作れるようになるわよ！」

体を起こしながら意気込む。上に乗っていた猫ちゃんが何匹かゴロンゴロンと転がった。それでも気持ちよさそうにウニャウニャ言っている。

屋敷の方に戻ると、たくさんいた猫ちゃんたちの中から三匹が私についてきた。どうも他に居場所がある別の子たちと違って、この三匹はこのままここにいたいらしい。

「大歓迎よ！」

だってこの離れの屋敷は私ひとりぼっちで部屋はものすごく余っている。

せっかくなので私は三匹に名前をつけることにした。

まずはメスの三毛猫。まだ子猫のようで一番小さい。

「あなたはミシェルね」

「みゃあああ」

声も甲高く、よちよちと歩き、体もプルプル震えている。とっても可愛い子ね！

お次もメスで、一番体の大きなバイカラーの長毛種。

「あなたはマーズ」

「うにゃ〜ん」

ふさふさの尻尾がゆらゆら揺れていてすごく優雅。上品で、高貴な猫ちゃんだ。素敵！

最後に凛々《りり》しいお顔のオスの黒猫。スマートな体に、毛並みがとっても艶やかだわ！

「あなたはジャックよ」

「にゃあ！」

返事とともにシュタッと仁王立ちして見せた。見るからに身体能力が高いわね。

ミシェルはしゃがんだ私の背中にすごい勢いでよじ登り、マーズは私の足にゆったりと擦り寄りながら尻尾を巻き付けて、ジャックは私の手のひらに自分から頭をぐりぐりと擦りつけて甘えている。全員いとかわゆし。どうやら私がつけた名前は気に入ってもらえたらしい。

ちなみに、「いとかわゆし」という表現は異世界人だったヒナコが、私を可愛がる時によく使っていた。あの子はなんだか妙な言葉をよく使っていたし、変な笑い方をする変わった子だったなあ。さすが異世界人よね。一緒にいると刺激的で楽しかったのを覚えている。

夜はミシェル、マーズ、ジャックに囲まれてぬくぬくと眠りについた。夢の中で私はリリーベルの姿で、新しい家族である三匹と楽しく遊んだのだった。とっても幸せ。

その日から私が日向ぼっこしていれば他の猫たちもどんどんと集まってきては一緒に寝転び、猫集会にはわざわざ呼ばれるようになった。やっぱり私のことは猫認定なのかもしれない。


「フェリクス、疲れた顔してんな」

「……ああ」

そう、俺は疲れていた。取繕う気も起きずに、側近であるカインの言葉を肯定する。

意味の分からない罪に対する罰などという馬鹿げた名目で、勝手に悪女と評判の女を婚約者として押し付けられた。それでただでさえ頭が痛いところに魔物の被害が報告された。

レーウェンフックでは代々領主を長として騎士を率い、討伐を行う。そのため、俺もカインとともにすぐに討伐に向かうことになり、昨晩遅くにやっと屋敷に戻ってこられたところだ。

後のことは使用人に任せる羽目になり、申し訳なく思っていたのだ。ルシル・グステラノラ侯爵令嬢の評判はあまりにひどく、このレーウェンフック邸でも好き放題傍若無人に振る舞っているのではないかと容易に想像がつく。

彼女がどのような人物であろうと、俺はこのレーウェンフックの民を、そしてこの屋敷に勤めてくれている使用人たちを守らなければならない。そのため初日に、あえてひどく厳しい言葉を使い、十分に釘をさしておいたつもりだが、どれほどの効果があることか。……なんだかよく分からない反応を見せていたしな。

聞きたくはないが、使用人にばかり苦労をかけるわけにはいかないだろう。そう思い、不在にしていた間の話を聞くため、俺は彼女に付けた侍女のサラを執務室に呼びだした。

そもそも、俺との婚約・婚姻が罪人への罰などと、本当にふざけている。

「討伐のためとはいえ、全てを任せることになってすまなかった。きっと苦労をかけたことだろう。それで、ルシル・グステラノラ侯爵令嬢の様子はどうだ？」

そう聞くと、サラは一瞬、肩をびくりと強張らせた。

「……今のところ、問題はございません」

どこか歯切れの悪い返事に違和感を抱く。なんだ、今の間は。どこか目も泳いでいる。

それに、問題がないだと？　相手は悪女と噂のルシル・グステラノラだ。全く問題がないとは考えにくい。まさか、問題はないどころか山ほどあり、それを討伐終わりで疲れた俺に報告するのをためらっているのだろうか？

そう思い詳しく話を聞こうとするも、何かがおかしい。何を聞いても曖昧な答えしか返ってこないのだ。朝は何時に起きている？　金はどれくらい使った？　料理に文句ばかりつけて料理人を困らせていないか？　サラや他の使用人に手を上げ暴力を奮うようなことなどはないか？

聞けば聞くほど顔色が悪くなっていくサラ。ここにきて、別の嫌な予感が湧きあがる。

まさか。

「全く、世話をしていないのか……？」

「も、申し訳ございません……!!」

叱責を恐れてか、顔色をなくし這いつくばって頭を下げるサラを呆然と見る。この事態は想像もしていなかった。

ただ、俺は想像しなければいけなかったのだ。

なぜならば、俺のルシル・グステラノラへの態度と、この婚約が彼女への罰として命じられたものだという事実で、サラをはじめとする使用人たちはルシル・グステラノラを仕えるに値しない人物だと判断したのだから。

……これはこの屋敷の主たる俺の責任であることは間違いない。使用人たちの行動は非常識極まりないものであるのは当然だが、俺自体が彼女を侮り、軽蔑し、嫌悪しているのを隠しもしなかったのだから、それに準じた使用人たちの行いの責任も、俺自身にあるといえる。

思案する頭とは別の部分で、しかし――と考える。

「そんな扱いを受けて、あのグステラノラ嬢は何も言わないのか……？」

そう、俺の耳にする評判通りの女ならば、意味もなく使用人たちを呼びつけ、癇癪《かんしゃく》を起し、手を上げたり腹いせに我がレーウェンフックの金銭で目を疑うほどの散財をしていてもおかしくない。

しかしサラが言うには、まるでその存在を感じないほど静かに過ごしているという。この本邸に姿を現すこともなく、見に行こうと思わなければ見えない別邸で、静かに。

さすがに水晶で呼ばれれば素直に応じ、命じられるままにきちんと仕事はしよう思っていたと、そう答えたサラに嘘はないように見える。予想に反してなんの音沙汰もなく、今更どうしていいか分からなくなっているうちに俺が戻ってきたということのようだ。

「ほ、本当に申し訳ありません」

目に涙を浮かべ何度も頭を下げるサラを宥《なだ》めつつ、重い腰を上げて自らの目でルシル・グステラノラの様子を見に行くしかないかと覚悟を決めた。

王都で悪名高い愚かで心の醜い悪女――ルシル・グステラノラ侯爵令嬢。

彼女は王子の婚約者でありながら、怠惰ゆえに教育もまともにこなさず、周囲を見下す傲慢さを隠しもせず、贅の限りを尽くし散財し、派手な化粧と衣装で品もなく……そしてその評判のままについに王子に婚約破棄され、このレーウェンフックに送られてきたとんでもない女。

なんでも婚約破棄を宣言された時には高いプライドがその事実に耐えられずに、ショックと怒りで暴れ回り、最後には失神してしまったとか――。

厄介な匂いしかしない。

実際に到着したばかりの彼女は、決して下品ではないもののやはり派手な見た目をし、俺のわざと蔑んでみせた視線にも頬を緩ませて返すような傲慢そうな女だった。

だからきっと、他の噂も事実とさほど差がないのだろうと思っていたのだ。

――それなのに、目の前に広がる光景は一体どういうことなのか。

「ランじい、これはここでいいのかしらー!?」

「おう、さすがルシーちゃん！　ばっちりあっとるわい！　お前さんは本当に覚えが早いなあ」

「ふふん！　そうでしょうそうでしょう！」

……あれは誰だ？

いや、庭園の土の上に立ち、得意げに胸を張るのはどこからどう見ても悪女と噂のルシル・グステラノラだ。

軍手をして、簡素なワンピースを纏《まと》い、花の苗を植えているように見える。

……しかし、あんな顔だったか？

最初に見た時より随分幼い顔立ちに見える。派手でケバケバしい印象だったはずが、どちらかというと小動物を思わせるあどけない雰囲気を纏っている。

そう、小動物といえば、随分体つきも小柄になったような……元々すらりと痩せてはいたが、もっと背が高く、しっかりした体つきではなかったか？

まさかメイドもいなかったためにろくに食事を摂ることができずにこの短期間で背が縮むほどやつれたのか——いや、それはないな。

むしろこの距離から見ても肌艶よく、前よりイキイキして見える。

というか化粧っけのない顔を土で汚しながら満面の笑みを浮かべる様はこのうえなく元気そうだ。

「ねえ、ランじい。とってもお腹が空いたわ？　菜園のトマトを食べてもいい？」

「ルシーちゃんは本当に食いしん坊だなあ！　仕方ねえ、少しだけだぞ」

「わーい！」

待て。ルシル・グステラノラのあまりの様子の違いに気を取られていたが、彼女にニコニコ笑いかけているのは我が家の庭師、ランドルフ爺ではないか。

先々代の頃から長年このレーウェンフックに勤める庭師で、彼は気難しく、偏屈だと有名で、メイドはおろか騎士たちも近寄りたがらなくて——

「ルシーちゃん、なんだかワシも腹が減ったなあ」

おい、あの顔の緩んだただの優しそうな爺さんは誰だ？

というか今更だがランドルフはルシル・グステラノラのことをルシーちゃんなどと呼んでいるの

か!?

ランドルフの態度も信じられないが、あのルシル・グステラノラが庭師に愛称で呼ばれることを許しているなどと、到底信じられたものではない。

「ランじい、私は手を魔法でキレイにしたけれど、あなたはまだ土だらけでしょ？　はい、あーん！」

あ、あーん!?　手ずから、彼女の手ずからランドルフに食べさせるのか!?　い、いや、そもそもあのランドルフがそんなことを受け入れるわけが――

「あーん!!」

大喜びで受け入れている!?

いや、そもそも庭の一画に菜園などあったか？

むしろトマトなどどこになっていた？

彼女が手をかざすと、そこに実がならなかったか？

いや、そもそもこの土地は……俺と同様呪われている。

その証拠に長年ランドルフが手を入れ続け、美しい花を咲かせるこの場所でさえ、そう簡単に食べ物が実ることはないはずなのだ。

見たこともないランドルフの態度といい、突然現れたトマトといい、ルシル・グステラノラは一体……何をしたんだ……??

俺の頭の中には数々の疑問符と困惑が浮かぶばかりだった。

「ランじいは本当に腕のいい庭師だわ！」

私はたくさんの花が美しく咲く庭園を見渡し、思わずニコニコしてしまう。

せっかくこんなに手入れがされているのだから、ついでにちょっとつまめるような野菜も作ってみたいわ！　と思ってお願いしてみたのよね。最初はすごく渋い顔をされてちょっぴり怒られたから、ランじいはとんでもなく野菜が嫌いなのかと思ったわ？

顔を綻ばせてトマトを美味しそうに食べているのを見る限り、そうではなかったみたいだけど。

ほくほく顔のランじいを見ながら、ふと回想する。

『ランドルフ様がこんなに手をかけてくれているこの場所で育てた野菜なら絶対に美味しいと思うのよ！』

『何も知らねえ貴族の小娘が！　無駄だと言っているのが分からんのか！』

『むう！　トマトなんて絶対最高なのに……分かったわ、実際に食べてみてから決めてちょうだい！』

『何をわけの分からんことを言っとるん……だ……、…………？』

『ほら！　このトマトを食べてみなさいよ！　野菜嫌いのランドルフ様の口にもきっとあうはずよ！』

『馬鹿な……この場所で野菜など育つはずが……むしろ一瞬で実ができるなんぞなんの冗談……むぐっ、――う、うまい』

『ふふん！　そうでしょう、そうでしょう！』

……今思い返すと、私ったら随分強引に押し切ってしまった気がするわね？

だけど結局、私の先見の明に感動してくれたのか、もしくはトマトの美味しさに目覚めてくれたのか、急にランじいが私に気を許してくれて「ランじい」と呼ばせてくれるようになったわけだし、結果オーライってやつよね。

今もすぐにちょっとだけ食べたいな～っと思った時にはちょちょいと魔法で必要な分だけ実を育てているけれど、きちんと手をかけて普通の菜園も作っている。元の土がランじいのおかげでとってもよくなっているから魔法で成長を促してもびっくりするほど美味しいけど、最後まで愛情たっぷり時間をかけて育てたものは比較にならないほどもっともっと美味しいはずよ。

ちなみにトマトの実を一瞬で育てているこの魔法は、大魔女アリス様の時間に作用する闇魔法と、聖女クラリッサ様の治癒と成長を促す聖魔法、そして料理人マシューが編み出した食材だけに作用する秘術のかけあわせだ。

(うふふ！　それにしても愛称で呼び合うなんて、私とランじいはもはや親友と呼んでもさしつかえないのでは⁉)

ルシルとして生まれて、私のことを愛称で呼ぶ人なんていなかった。

けれど、リリーベルの頃のことを思い返すと、親しみを込めた呼び方をする人はみんな私のことを大好きでいてくれたものね！

猫ちゃんたちに続いて人間の友達もこんなにすぐにできるなんて、とってもツイているわ。

「しかし、旦那様はルシーちゃんのどこがそんなに嫌でこんな離れにひとりぼっちで押し込めてるのやら……」

並んで座って休憩していると、ランじいがぽつりとそうこぼした。

心底不満そうに、嫌そうに顔を顰《しか》めて言うその様子に、私のことをとても心配してくれているのが伝わってきて、心がポッと温かくなる。

今の待遇について、私は全然気にしていないのだけれど、それはそれとして誰かに心配してもらえたり、思いやってもらえるのは嬉しいものだ。

「いいのよ、いいのよ。人を嫌いと思う心は責められるものではないから」

「しかしなあ……ルシーちゃんはこんなにいい子なのになあ。ろくに喋りもしねえで面と向かって嫌いだなんて言いやがるたあ、旦那様もまだまだガキでいやがる」

「ふふ！　ランじいも最初は私のことを随分警戒していたわよね！」

「かっかっか！　それは言うなやい」

だけど別に、私を嫌いでも全然問題ないと、本当にそう思っているのだ。

「うにゃあ〜ん」

「みゃあああ！」

「ごろごろごろ……」

側で一緒にくつろいでいたミシェル、マーズ、ジャックの仲良し三匹が「アタシたちがいるでしょ！」とでも言うように私にじゃれついてくっついてくる。

私は思うのだ。こんなに猫ちゃんは可愛いのに、犬派が存在する世界だもの。たとえば私が誰かに無条件で愛されても何もおかしくはないけれど、同じくらい何の理由もなく私を嫌いな人だっていてもおかしくはない。

そしてそれは決して私のせいじゃないのだから、何も気にする必要はないのよね。

（やっぱり人それぞれ好みってあるわよね～）

バーナード殿下だってあんなに努力した私に見向きもせずに、好みドストライクのミーナ様を寵愛した。あの時は腹も立ったけれど、リリーベルの頃の感覚が今の私に馴染むにつれて「ま、それもしょうがないわよね」と思うようになった。

バーナード殿下が私を愛さなかったからって私に価値がないことにはならないし。ただあの人には私の魅力が刺さらなかっただけ。

ましてやフェリクス・レーウェンフックには運命のヒロインがいるくらいだし？

確かに彼はとっても素敵で目の保養だけれど、それはそれ。少なくとも側に一人、私のことを大好きにちがいないランじいがいるのに、その「大好き」の気持ちを放っておいて、自分を嫌っている人の気持ちを考えて落ち込む必要性を全然感じないのよね！

「ワシにはこの光景も信じられんのだがなあ……この辺の野良猫たちは警戒心が強くて決して人には懐かんかったはずなんだが……猫たちに埋もれて寝とる姿を初めて見た時は目を疑ったもんじゃ

わい」

「ランじい？　何か言った？」

「いいや。ほれ、そろそろ続きをやるぞ！」

「はーい！」

そんな風にランじいと楽しく庭仕事をして、猫たちと戯れ、自由な生活を満喫していた私だったけれど。

次の日、早朝に少しの騒がしさで目を覚ました。

猫たちが唸るような鳴き声をあげている。

「なに……？」

不思議に思ってバルコニーから外をこっそりのぞいてみると。

「ああっ、きゃあっ！　わ、私は怪しいものではありません……!!」

そこには猫たちに追い立てられるように威嚇されている一人の侍女が。

「あら？　サラじゃない。一体なにをしているのかしら？」

それは初日にこの離れに案内してもらって以来会っていなかったサラだった。

「ウウウッ、なあーん！」

「シャ――――!!」

「ひいっ、やめてぇ……！」

「え、本当になにしてるの……？」

おまけによく見てみると、サラの近くにもう一人いる。

鮮やかな赤髪の、煌《きら》びやかなドレスを纏ったどこぞのご令嬢のようだ。そのご令嬢だけれど、なんだか目を吊り上げてものすごく怒っていらっしゃるようだわ。

「ちょっと、この猫どもはなんなのよ！ いつからここは猫屋敷になったわけ⁉ ふん！ 私のフェリクスにちょっかいかける泥棒猫は、人間に相手にされなくて猫のお仲間に囲まれているのね！ 本当に忌々しいわ……！ サラ、さっさとなんとかしなさいよ！」

あの方、一体誰なのかしら？

それにしても「私のフェリクス」ですって！ フェリクス・レーウェンフックは怖がられていると聞いていたけれど、その魅力に熱をあげている令嬢はやっぱりいるのねえ。うふふ、分かるわ！ とっても素敵だものね。不愛想だけど。

ところで、どうもこの離れに入ろうとしているみたいに見えるんだけど……ひょっとして私に何か用なのかしら？

「にゃーお！ あなたたち！ そんなにお客様のことをいじめちゃダメでしょう？ どうどう、ほら、落ち着いてね。また今度遊びましょう！」

とりあえず、まずはこの大騒動を止めるべく私が屋敷を出て声をかけると、威嚇と猫パンチをこれでもかと繰り出していた猫ちゃんたちは鼻を鳴らして離れていった。

サラも赤髪のご令嬢もそんな光景にポカンとしている。

確かに、私ったら大きな声を出したりしてちょっと淑女らしくなかったわよね。

だけど威嚇の大合唱にかき消されず、きちんと全員に聞こえるようにするには小さな声じゃダメだと思ったんだもの！

私としてはランじいと庭のお手入れもするし、外でゴロンと寝転んで日向ぼっこもするし、淑女らしからぬ行動は今更なんだけれど、そんな私の姿に慣れていない二人には少し刺激が強かったようだわ。

「今のって……あ、あなた、一体……」

赤髪のご令嬢は眉をひそめて何か言いたそうにしていたけれど、もうやってしまったことは仕方ないので、もの言いたげなその様子には気づかないふりをしておきましょう。

気を取り直して二人を応接室に通したものの、サラの顔色はなぜか真っ青だし、赤髪のご令嬢はとても不機嫌そうに口をへの字に引き結んでいる。

とりあえず空気があまりよろしくないから、ここはこの場で今一番、心身ともに健やかな私から挨拶するのがよさそうだ。

「初めまして、私はルシル・グステラノラと申します」

しかし、挨拶は返ってこなかった。

「サラ！　こんな人が私のフェリクスの婚約者だなんて冗談でしょう！」

私ではなく、そばに立っているサラに向かって声を荒らげるご令嬢。

うーん、なんだか初対面なのに、すでにとっても嫌われているようだわ。

彼女はぷいっと顔を背けて私に視線すら合わせない。見たところ私より少し年下かしら？

話が進まないことにはどうしようもないので、仕方なく私もサラに向かって話を振ることにした。

「サラ、こちらのご令嬢はどなたなのか教えてくれるかしら？」

えっ！　と驚いたようにご令嬢の方をうかがったサラは、彼女が何の反応も示さないのを見て、意を決したように私に向き直った。

「こ、この方は隣領であるロハンス伯爵家のご令嬢、アリーチェ様です」

やっと絞り出すように教えてくれたサラの言葉に、ご令嬢——アリーチェ様が補足のようにすかさず付け足す。

「フェリクスの運命の乙女よ！」

「まあ」

「っ、何よ、その間抜けな反応！　婚約者と言ったたって愛されているわけでもないくせに、私のことを馬鹿にしているの!?」

思わず気の抜けた返事をしてしまったのがよくなかったらしい。いけない、いけない。

気を取り直してキリリと表情を引き締めてみるけれど、もう遅かった。

アリーチェ様はますます顔を赤くして怒っている。

（違うのよ……別に馬鹿にしたわけじゃなくて……だって、フェリクス・レーウェンフックの運命のヒロインはエルヴィラだって、私は知っているから、ちょっと驚いてしまっただけで）

ああ、そのことを説明できないのがこんなにもどかしいなんて！

サラはサラで相変わらず顔を青くしたまま小さな声で、

「申し訳ございません」

「違うんです」

「私はなんとかお止めしようと……」

とかなんとか離れた位置から私に向かって必死にずっと何かを呟《つぶや》き続けているし。なんだか怖いんですけど……。

うーん、どうしよう。多分この状況って、フェリクス・レーウェンフックに恋をしているアリーチェ様が、私という悪女が婚約者として図々しくも居座っていることに、怒りを抱いて乗り込んできたってところよね？

けれど私は今の時点で身を引くほどあの方と何か関係があるわけではないし……そもそも一年後にはエルヴィラが現れるはずだから、どちらにしろアリーチェ様の失恋は確定なのよね……。

予知夢ではエルヴィラが現れるまでの私は、フェリクス様の態度に怒りこそすれ、いずれは私を愛するようになるはずだと自信満々だったし、誰かに嫉妬している様子もなかった。そのことを考えると、アリーチェ様が今のフェリクス様の恋人だ、なんていう事実もなさそうだと思う。

考えている間もずっとアリーチェ様は目が痛くなってしまいそうなほど私を睨み続けている。

おまけにサラはついに手を胸の前で組んで祈りか呪詛《じゅそ》か分からないようなことをブツブツ呟き始めてしまった。見開いた目は血走っているし、ブルブルとめちゃくちゃ震えている。その様がとんでもなく怖い。どうやら怯えているようだけれど、そんなサラの方が怖い。むしろサラが一番怖い。

ふと思いついた。

予知夢でエルヴィラを憎む自分の記憶にアリーチェ様が登場しないということは、その頃にはアリーチェ様の恋心はなくなっていたのではないかしら？

何はともあれ、状況を変えるにはまず探りを入れるべきよね。

「アリーチェ様は、レーウェンフック辺境伯様のどこがお好きなの？」

まだ睨まれているけれど、じっと見つめて待ってみると、今度は言葉が返ってきた。

「フェリクスは……とっても素敵な見目をしているし」

「分かります！　怖いと言われているようだけれど、とっても魅力的ですよねぇ！　ふふふ！」

「は……？」

ハッ！　いけない！　全く共感しかない内容に思わず嬉しくて同調してしまった！　アリーチェ様が嫌そうに眉間に皺を寄せているわ！

「こほん。……それで、他にはどんなところが？」

機嫌を損ねてもう話してくれないかと思ったけれど、そんなことはなかった。むしろほんの少しソワソワし始めている気がする。

分かるわ、好きなものや好きな人の話をするのってとっても楽しいものね！

アリーチェ様って、今はぷりぷり怒っているけど、本当はとっても素直でいい方なのではないかしら？

「フェリクスは剣も魔法も才能があってとっても強いし……」

「まあ！　そうなんですね。私は全然知らなかったです。さすがこの辺境の地を任された方ですわね」

「そんなことも知らないの、仮にとはいえ婚約者のくせに」

「ええ、よかったらもっと、レーウェンフック辺境伯様の素敵なところを教えてください」

「……仕方ないわね。何も知らないあなたにフェリクスの運命の乙女であるこの私がちょっとだけ教えてあげるわ。フェリクスはね、ああ見えて小動物が好きなのよ！」

「それは確かに少し意外です！」

「でも怖がられて逃げられるから全然触れないの」

「ちょっと可哀想……」

「フェリクスは小さい頃からまるで私のことを妹のように可愛がってくれたんだから！」

「お優しいところもあるんですね」

妹のように、でアリーチェ様的にはいいのかしら？　と思ったけれど野暮なことは言うまい。

段々盛り上がってきた私とアリーチェ様のやりとりに、怯えが薄れてきたらしいサラが少し困惑顔だけれど、怖いお祈りをやめたからとりあえず放っておいてもいいだろう。

興が乗ってきたのか、次第に頬を紅潮させ、目をキラキラさせたアリーチェ様は叫ぶように言った。

「そんな素敵で強いフェリクスはねえ、次の『運命の英雄』に違いないんだから!!」

「まあ」

……『運命の英雄』って、何かしら？？？

「ちょっと！　あなたその返事の時全然気持ち入ってないでしょう!?　気の抜けた返事をしてっ、まさか運命の英雄を知らないのっ!?」

鋭い指摘に思わずびくりとしてしまう。アリーチェ様、すごい観察力だわ……！　私の返事に気が入っていないのも、運命の英雄のことを知らないのも全部バレてしまっている！

「運命の英雄ってなんですか？」

こういう時は素直が一番。

私の純粋無垢な問いにアリーチェ様は小さくため息をついた。

「はあ……信じられないけど、仕方ないから無知なあなたにこの私が教えてあげるわ。運命の英雄はその名の通り、ある時代の運命を変える力を持った英雄のことよ」

とにかく、なんだかすごくてとっても特別な人ってことね？

「いろんな時代のいろんな身分の偉大な方が運命の英雄だったのよ。例えば八〇〇年前の大魔女だったり、六〇〇年前の冒険者だったりね。物語に出てくるような聖女様や勇者様がそうだったこともあったみたいだし、錬金術師の英雄様の正体は実は平民の大商人だったそうよ！」

「それはすごいですね！」

「ふん！　あなたではこのすごさの一〇〇億分の一も理解できないでしょうね！」

うんうん、私にも分かるわ！　つまり想像の一〇〇億倍すごいと言っても過言ではないほど、とてもとてもすごいということね！

「でも、そんなにいろんな身分や肩書きの方がいたのでは、一体どうやって『運命の英雄』だと分かるのでしょうね？」

疑問に思い首を傾げて考えていると、アリーチェ様がピシリと私を指差した。

「運命の英雄にはね、ある共通点があるのよ」

「共通点ですか？　それは一体どんな？」

「それはね、聖獣様よ！　運命の英雄には必ず聖獣様がおそばに寄り添っていらしたの！　なんでも、艶やかな真っ白の美しい毛並みに海の一番深い色のようなブルーの瞳を持った、とっても麗しい聖獣様だったそうよ！」

真っ白の毛並みに海の色の瞳……それは……絶対に可愛い子だったに違いないわ！

だって、似た色合いだったリリーベルがあんなに可愛い可愛いともてはやされていたんだもの。自分でもこの上なく可愛かったと今でも思うし。白に青は至高の組み合わせよね！

なんでも聖獣様がどんなお姿だったのかは、その色味以外には伝わっていないそう。残念……絵姿でいいから見てみたかったわ？

ふむふむ、ともあれアリーチェ様のおかげで話がだいぶ見えてきたわね。

「アリーチェ様はレーウェンフック辺境伯様がその英雄様じゃないかと思っているんですね。そして『次の』というのは、彼のそばに聖獣様の姿がないから、これからその出会いがあるのではないかと思ってらっしゃると」

「そのとおりよ！　やればできるじゃない！」

「えへへ！」

だけど、私は内心思っていた。運命を変える力を持つ英雄様……レーウェンフック辺境伯様じゃなくて、エルヴィラこそがその英雄様だという可能性もありそうじゃない？

だってエルヴィラはこの広大なレーウェンフック領とフェリクス・レーウェンフックの呪いを解いたあと、聖女と呼ばれるようになったはずだわ。これはまだ先の話だから、今聖獣様がどこにもいらっしゃらないことの説明もつく。現時点ではエルヴィラの力が覚醒していないんだもの。

それとも呪いから解放されたフェリクス・レーウェンフックがその後で聖獣様と出会い、運命の英雄と呼ばれるようになるのかしら？

いいえ、そもそも運命の英雄様が現れるかどうかの保証もないわよね。

うーん、残念ながら予知夢では私が処刑される直前までしか見ることができなかったから、その先の未来がどうなるかは分からないのよね……。

それにしても、私はリリーベルとしてあんなに長生きしたのに、そんな有名な英雄様にも聖獣様にも一度も会えなかったなんて、今更だけど少しがっかりだわ。むしろそんな存在の人たちがいることすら知らなかったし。

まあ私が一緒に生きた愛すべき飼い主たちは、揃いも揃って世間の常識から逸脱しているような個性派ばかりだったから、偉大な他人の話なんて興味がなかったのかもしれないわね。彼らが話題にしなければ、いつもそばにくっついて愛されるばかりだった私が人間たちの間のそんな話を知る機会なんてないもの。

「あら、そういえば私ったらお茶もお出ししていなかったですわね。少々お待ちくださいな」

ふと気づいて立ち上がると、今の今まで静かに私たちの話を聞いていたサラが慌てて声を上げた。

「ル、ルシル様！　お茶のご準備は私がいたします……！」

「いいのよ、いいのよ。物も増えたから、どこに何があるのかサラでは分からないかもしれないわ。ここで暮らしているのは私だけだし、屋敷の主人がお客様をもてなすのは普通のことでしょう？」

「……っ！」

途端に息を飲み、さっと顔色を悪くするサラ。

え、なんだか言ってはいけないことを言ってしまったのかしら？

「あら！　サラ、あなた結構やるわね！　この人のお世話を放棄してるのね！　それともフェリクスがそうしろって言ったの？　まあ押し付けられた婚約者なんだから、そんな扱いをされても仕方ないわよねえ」

「あっ、あっ……あの、主人は、その、決してそのような指示をしてなど……」

顔面蒼白でしどろもどろなサラと、サラを揶揄《からか》うようにニンマリと笑うアリーチェ様。

最初のような険悪な空気ではないものの、少しサラが可哀想に思えてきた。そりゃあ使用人としてはそんなふうに言われてしまっては立場がないわよね。

「気にしないでサラ！　私は自由に楽しくやっているし、レーウェンフック辺境伯に蔑ろにされても本当に何とも思っていないから！」

「ひいっ……！」

心から気にしないでほしいと思って気持ちを伝えたのに、なぜか悲鳴を上げるサラ。

「え、フェリクスってば本当にあなたに意地悪しているの？　冗談かと思ったのに。　あの人ああ見えてわりと優しいのに……あなた本当に嫌われているのね……」

アリーチェ様が心底不憫そうに私を見ながら言うと、サラはますます顔色を悪くした。

敵意に満ちていたはずのアリーチェ様の目に憐憫《れんびん》の色が宿る。私は本当に気にしていないし、むしろ現状には満足しかないのだけど……。

そのことをどうやって分かってもらおうかと考えていると、サラがまるでカエルが跳ねるように勢いよく跳びあがり、そのままビタンッ！　とものすごい音を立てて床に這いつくばった。

「うっうっ、も、申し訳ございません～～っ!!」

「ええっ!?」

どうやらサラは、私のお世話を放棄していたことにとんでもなく罪悪感を持っていたらしい。なんてこと。最初こそ小さい嫌がらせね～っと思ったものの、あまりに快適すぎてこれがそもそも嫌がらせだったことすら、さっきまですっかり忘れていたくらいなのに……。

その後、ぐすぐすと泣いて謝るサラを宥めている間に、アリーチェ様は「また来るわ」と言ってさっさと帰ってしまわれた。

それにしても、サラともアリーチェ様ともかなりの時間楽しく話していたし、これってもう友達になったということでいいわよね？？？

朝から大騒ぎだし、サラは泣くし、さすがの私もちょっと困惑してしまったけれど、最終的にはほくほく気分で終われてよかった、よかった！

そう思いながら、やっと一人になって落ち着いた私は、上手くできたらランじいにあげようかとご機嫌にお菓子を作っていたのだけれど。

「ルシル・グステラノラ嬢。君と話をする機会が欲しい」

日が落ちた頃、突然離れにやってきたフェリクス・レーウェンフックに、またもや困惑する羽目になるのだった。

私は今、午前中にアリーチェ様やサラとたくさんお話しした応接室で、今度はフェリクス・レーウェンフックと向き合って座っている。

（うふふふふ！　久しぶりに間近で見るフェリクス・レーウェンフック！　やっぱりとってもカッコいい～～～！）

しれっとすまして座っているものの、私は内心大はしゃぎだ。

今だけとはいえせっかく一応は婚約者なんだから、たまにはこの麗しい姿を見る機会だって欲しいものね！

もちろん完全なる二人きりなどではなく、彼の斜め後ろには騎士が一人立っているわけだけれど――実は私、この方に見覚えがあるわ？　予知夢でもよくレーウェンフックとともにいた人だもの。

一番気を許している側近という感じね！

そんな側近の彼がなんだか面白がるように小さく呟いた。

「うわあお。フェリクスに聞いてた話と全然違うじゃん」

「えっと……?」

「おい、カイン!」

遠慮もなくまじまじと私を見つめるその人をレーウェンフックが小さく咎《とが》める。しかしそれを全く気にした様子もなく彼は私のそばに近寄ると、流れるように跪《ひざまず》き、胸に手をあて恭しく頭を下げた。

「申し遅れました。俺はこのレーウェンフックの騎士でありフェリクスの側近、カイン・パーセルです。どうかカインとお呼びくださいね、麗しきご令嬢」

「まあ。これはご丁寧にどうも、カイン様。ルシル・グステラノラと申します」

流れるような挨拶に思わず感心してしまう。

カイン様は優しげで柔らかい亜麻色の髪に、藍色の瞳を甘く見せる少し垂れた目が印象的な優男風だ。うん、イケメンね。フェリクス・レーウェンフックとはまた違ったタイプのカッコよさでとってもいいわ?

私はフェリクス・レーウェンフックの方がタイプだけれど、世のご令嬢にモテるのは完全にカイン様の方だろう。

私がそうやってカイン様のことをまじまじと観察している間、カイン様の方も何かを見極めようとするかのように私をじっと見つめていた。おかげで二人して熱心に見つめ合うような形になってしまっていて。

「……おい、いつまでそうしている？」

少し不機嫌そうなフェリクス・レーウェンフックの声でハッと我に返る。

おっといけないわ。そりゃあ、自分の大事な側近には嫌いな悪女である私とあまり接触しないでほしいと思う気持ちは当然のものよね。それに恥じらいもなく殿方を見つめてしまうなんて、淑女としてもあまり褒められた行為ではなかったわ。

ここで暮らすようになって、あまりの自由にちょっと気が緩みすぎていたみたい。堅苦しい王子妃教育から解放された反動ともいえるかもしれない。

とりあえず、心配そうなレーウェンフック辺境伯に、大丈夫ですよとアピールするように微笑みかけてみる。

「ふふふ、心配なさらなくてもあなたの大事な騎士にちょっかいをかけるほど、配慮が足りないつもりはありませんわ」

「いや、そうではなく……」

あら、なんだかまだ不満そうね？　どうやら見た目に寄らずフェリクス・レーウェンフックは心配性らしい。

「お二人の仲を邪魔する気なんてないから、本当に心配なさらなくて大丈夫なのに……」

私が無神経にレーウェンフック辺境伯の側近と仲良くして、二人の信頼関係がぎくしゃくするようなことがあっては大変だものね。そう思って思わず呟いてしまったのだけれど、その声がばっちり聞こえていたらしい二人は、どちらもなぜか微妙な表情を浮かべていた。

「な、なんか俺とフェリクスがただならぬ関係みたいな言い方に聞こえるんだけど……」

「おい、冗談でもやめろ」

ふふふ、よく分からないけれど、仲がよさそうで何よりだわ！

それにしてもフェリクス・レーウェンフックは何をしにきたのかしら？　『君と話をする機会が欲しい』と言っていたけど……。

あら、そういえば私ったらまたお茶を出すのを忘れているわ。今まではこういうとき、私の専属侍女だったレイシアが全てやってくれていたから、つい忘れてしまうのよね。

実は自分の分を淹《い》れるうちに私の淹れるお茶がなかなか悪くないことに気がついたのだ。だから誰かに振る舞いたいとずっと思っていたのだけど、ランじいとはまだお茶をしたことがないし、今日の昼間だってサラが泣きだしてしまったから、結局サラやアリーチェ様に私の淹れたお茶を飲んでもらう機会を逃してしまったのよね。

そういえばこの二人は甘い物は好きかしら？　さっき焼いたばかりのお菓子もできれば食べてみてほしいなあ。

冒険する料理人マシューが人に料理を振る舞うことに対して、心の底から幸せそうにしていた事を思い出す。

そうね、料理自体もやってみるととっても楽しいことが分かったけれど、作れば食べてほしくなるのよね。

そんな風に自分の世界であれこれと考え込んでいると、フェリクス・レーウェンフックが仕切り直しとばかりに「こほん」と咳払いをした。

「今日俺がここに来たのは——あなたに謝罪をしたいと思ったからだ」

「……え？」

「数々の非礼、本当に申し訳なかった」

彼が言いだした予想外の言葉に思わず目をぱちくりと瞬《しばた》いてしまう。

ここにきてから私とフェリクス・レーウェンフックはほとんど関わり合いがない。何か謝罪をされるようなことがあったかしら？

……いや、よくよく考えてみれば心当たり自体は結構あるわね。今の彼が頭の中で思い描いているのがどのことなのかはちょっとよく分からないけれど。

しかし、自分の中にあるフェリクス・レーウェンフックのイメージと、今目の前で頭を下げている彼の印象があまりにも結び付かなくて、戸惑ってしまう。

だって私の知るフェリクスは予知夢での姿がほとんどで、その彼はいつだって私を厳しい目で見るばかりだったから。実際に初めて会った時だって、予知夢の彼の姿とほとんど違いはなかった。

だから、勝手にこの人はとっても潔癖でかなりプライドの高い人だと思っていたのだけど。

こうしてなんのためらいもなく頭を下げている姿を見ると、それは私の勘違いだったのかもしれない。むしろ、予知夢での私がひどすぎただけかも……。

そりゃそうよね。今のフェリクス様を見ていても分かるけれど、彼は屋敷に勤める人達や領民のことをとても大事にしている。そんな彼の前で、予知夢の私は使用人たちに対してひどい態度をとっていたわけだもの。

そう考えると、私の方こそ申し訳ない気もしてくるわね。

「今更だと思うだろうが、俺のあなたへの態度は非常識極まりないものだった。身一つでこのレーウェンフックに入ったあなたに配慮も思いやりもなく、ひどい言葉を吐き捨て、身の回りの世話をする使用人をきちんと手配することもなく……それなのに、あなたは文句の一つも言わず、こうして突然の訪問にも嫌な顔一つしない。なんと寛大なことか」

「ええっと」

「噂を鵜呑《うの》みにしていた自分を恥じている」

謝罪の言葉を繰り返すたびに、フェリクス様の首は少しずつ折れ曲がり、頭がどんどん下がっていっている。このままだと、そのうち地面についてしまうのではないかしら。

ええっと、私を嫌っていること自体は全然問題ないのだけど……。

それにしても、とても潔い人ね。実は、サラに聞いて、この人が使用人を手配していなかったわけではないことはもうすでに知っているのだ。だけどそのことは言わず、それについても自分の罪だとして謝ってくれている。

「今更だとは分かっている。だが、できれば、俺としては少しずつでも歩み寄っていけたらと思っている。もちろん、あなたにも色々と思うところはあるだろうが……」

そしてやっぱり……悩まし気で真剣なお顔もとってもかっこいいわ……！

こんなにイケメンで中身もちゃんとした人なんだもの、早く運命のヒロインであるエルヴィラと出会って幸せになってほしいわよね。

私は突然閃《ひらめ》いた。エルヴィラが現れたらさっさと死んだふりでもして失踪しようと思っていたけれど、美しいエルヴィラとカッコいいフェリクス・レーウェンフックの幸せな姿を間近で見られるのも悪くないのではないかしら……!?

そうよ！　何だかよく分からないけどせっかくフェリクス・レーウェンフックが歩み寄りを希望してくれているんだもの。

人を嫌いだと思う気持ちって理屈じゃないところがあるから、あれだけ嫌っていた私に対する嫌悪感がすぐになくなるとは思っていないけど。この機会をわざわざ棒に振ることはないだろう。

「レーウェンフック辺境伯様！　私も是非、あなたとお友達になりたいです!!」

満面の笑みでそう告げると、なぜかカイン様が小さく吹き出していた。

ふふふ！　心配しなくても、カイン様を仲間はずれにしたりはしないわ？　だって、友達の友達も、もはや友達と言っても過言ではないはず。

カイン様も私のお友達に認定よ！

『レーウェンフック辺境伯様！　私も是非、あなたとお友達になりたいです!!』

満面の笑みで、一切のためらいもなくそう言ったルシル・グステラノラ侯爵令嬢。

違う、そうじゃない、と頭を抱えなかっただけ、自分はよくやったと思う。

彼女が拒絶しないならば、婚約者としてきちんと尊重し、交流を持つことを考えていると言ったつもりだったのだ。

しかし、よくよく考えると、わざわざ訂正するほど積極的にそうしたいわけでもないので、それ以上俺から何か言うことはしなかった。

「ルシル嬢、なんかすげーいい子っぽかったんですけど」

本邸にある俺の執務室で二人になった途端、側近であり幼馴染でもあるカインがそう呟いた。

確かに、今日やっとまともに向き合ってきちんと話をしてみたルシル・グステラノラは、とてもじゃないが噂に聞いていたような悪女とはかけ離れた人物だった。

あの後なぜか張り切りだしたグステラノラ嬢はおもむろに立ち上がると、ちょこまかと動き、茶を淹れ、何やら見たこともないお茶請けまで出してきた。あの菓子は何といったか。何度か名前を言っていたように思うが、あまりに聞きなれなくてもう忘れてしまった。

とにかく、見たことも聞いたこともない珍しい菓子を、

「私が焼いたんです。とっても上手にできたからぜひ食べてみてほしくって！」

と、輝く笑顔で差し出してきたのだ。あまりの意外さに目の前の彼女の純朴そうな様子まで全てが演技で、この菓子に新種の毒でも仕込んでいるのではないかと疑ってしまったほどだった。

菓子を焼いた？　あの愚かな悪女と名高いグステラノラ嬢が？　いや、そもそも貴族のご令嬢で

厨房にためらいなく入り、腕を振るう者がどれほどいることか。

中にはそういったことが得意だという令嬢がいるのも知っているが、それもどこまでが一人の作業なのかという話である。料理人がほとんど作ったものに少しだけ手を加え、自分が作ったものだと言う令嬢も多いことは、俺でも知っている。

それなのにあの離れには料理人どころか、彼女の手助けをする使用人はただ一人としていないのだ。

ルシル・グステラノラは長年第二王子の婚約者として忙しい毎日を送っていたはずだ。

それに父親であるグステラノラ侯爵はプライドが高く、無駄と面倒を嫌うとても貴族らしい貴族であり、王子に婚約破棄された娘を一切庇《かば》うことなく、むしろ怒りとともにこのレーウェンフックに身一つで送り込んできたような人物である。

彼女が生家で厨房に入れたとはとても思えないし、恐らく忙しい身の上ではその時間もなかっただろう。

ならば、どこで料理を覚えた？　それもあの珍しい焼き菓子の作り方など、一体どこに行けば学べるというのか。

カインは俺と違って令嬢の好むものならばたいていなんでも知っているような男であるが、そのカインですらあの菓子のことは知らないようだった。

『このお菓子はヒナコ……昔、とってもお世話になった人に教えてもらったんです』

彼女はそう呟いていたが、昔とは一体いつのことなのか。

そう言った時の表情が、どこか物悲しそうに見えたのは気のせいだったのだろうか。

「あ〜、さっき食べたお菓子、なんかすげーうまかったね。ニコニコしてて健気で明るく、おまけに家庭的。やっぱすげーいい子っぽいんですけど？」

甘い物を得意としていないはずのカインでさえこの反応だ。

そう、見たこともなく、食べたこともないその菓子は信じられないほどうまかったのだ。そして当然だが毒など入ってはいなかった。


精鋭三十人ほどからなるレーウェンフックの騎士団を率いて数日続いた討伐が終わり、初めて離れの彼女の様子を見に行った日、その見た目にどこか違和感を抱いたのも間違いではなかった。

というのも恐らく、ここに来たあの初日の彼女の方こそ作られた姿だったのだ。

突然の訪問に、主人のために咄嗟《とっさ》に気を回す使用人もいない環境で、俺たちの前に顔を出したグステラノラ嬢は、息をのむほどの透明感と、まるで妖精かと見間違ってしまいそうなほど可憐なあどけなさを持っていた。

その妖艶にも清廉にも感じられる不思議な雰囲気に、騎士達は言葉を失っていたほどだ。

あのような素顔を持ちながら、なぜ派手で厚い化粧を施していたのかは甚だ疑問だが……。

聞けば聞くほど冗談かと思うようなサラの報告にあったとおり、彼女は本当に使用人一人いない環境で、自由にのびのび暮らしているようである。

おまけに先に謝罪をしたというサラにも、頭を下げた俺にも恨み言一つ言わず、何も責めることがない。

信じられないのはその姿や心根だけではない。

この目で見た、トマトを実らせる奇跡のような光景だけでもいまだに夢だったのではないかと自分の記憶を疑いたくなるのに、サラの話によると彼女は動物と会話ができる能力まであるらしい。

なんでもこの辺一帯に潜む、人を全く寄せ付けず、気性も荒く、そこまで強くなければ魔物でさえ自ら撃退してしまうほどの攻撃性を持った野良猫たちが、彼女の言うことをまるで本気で理解しているかのように振る舞っていたのだとか。

サラの証言だけではなく、ランドルフによると初めて会った時にはその猫たちに埋もれていたらしい。

意味が分からない。

あれらは我がレーウェンフックの騎士達でさえ無暗に近づかないように伝えられているほど、穏やかとは程遠い生き物だ。

そもそも猫に埋もれるとは……？　想像もできないのだが。

「ルシル嬢、本当にいい子っぽかったよな～。あれで本当は噂通りの悪女だったとしたら、俺騙されても本望だわ」

何度もしつこく彼女を「いい子だ」と評するカイン。何か俺に言いたいことがあるのだろう。

面倒だからとわざとそれに気づかぬふりをして無視していたのに、どうやらそのまま放っておいてはくれないらしい。

「で？　そんなルシル嬢はどうもお前に興味がなさそうに見えるんだけど。お前それでいいの？」

思わず眉をひそめてしまう。この男は一体、何が言いたいのだろうか？

「謝罪もした。その上で、少しずつでも歩み寄っていけたらと思っていると伝えた。これで、まだ他に何か問題があるのか？」

「問題はないよ。ぜーんぜん問題はない。押し付けられた婚約者だし？　そもそもお前は自分の呪いを気にして、誰かと婚約する気なんかなかったわけだし。あの譲歩は堅物のお前にしてはよくやったと思ってる。うん、問題はない」

「だったら何が言いたいんだ？」

「問題はないけど、希望がない！　ついでに明るい未来もない！　お前が人との関わりに疎いのは知ってるけどさ～」

時々、気心知れたはずのこの男の言っている意味が全く理解できないことがある。

今までは主にカインが頬を緩めながら聞かせてくる令嬢たちと遊ぶ楽しさや、女性の魅力、誰それが可愛いなどの中身のない話がその理解できないことだったわけだが、この話もどうやら俺に理解できない類のもののようだ。

「なあ、ルシル嬢は心がとーっても広くて、そんな素振り自体はなかったけど、あの感じじゃあきっとフェリクスが彼女を嫌いだということ自体は今も信じたままなんじゃないかと思うんだよね。いいの？」

「いいも、何も……」

「謝罪って言うのはさ、自分が思ってる半分も伝わらないことの方が多いわけ。『君を嫌いだと言ったのは誤りだった』くらいはっきり具体的なことも付け足しちゃってもよかったと思うんだよ」

「そんなことが必要だったとは思わないが。そもそも誤りだったとはっきり訂正するほど、彼女に対して何かを思っているわけではない」

ただ、あまりに噂とかけ離れているその姿と、不思議な力に興味を引かれているだけだ。

そういえば、話をしたいと思いながらも討伐が続きなかなか実行に移せなかった中で、アリーチェが離れに乗り込んだとの報告を受けて彼女を訪問する決意を固めたのだった。

機嫌を損ねているのではないかと思っていたグステラノラ嬢の予想外に元気な姿に、すっかり忘れていた。

いつになくしつこく、うっとうしいことこの上ないカインは「あちゃ〜」とこれ見よがしに天井を仰いで見せた。

「お前がいいならいいけど。俺、なんか嫌な予感がするんだよね。お前はいつか今日のことを後悔するよ、きっと」

「なにを後悔するって言うんだ……」

それに、後悔ならば毎日している。この身に呪いを受けて生まれてきた、最初のその日からずっと――。

「サラ～！　一緒にお茶しましょうよ！」

庭園にあるテラスから離れの屋敷の中を掃除しているサラに声をかけると、すぐに顔をあげてくれたものの、どこか困惑しているように見える。

あらあら、サラってば使用人としての仕事ぶりは完璧なのに、いつまで経っても私の友達としての振る舞いに慣れないんだから。ふふふ！

友達になって以来、サラはこうして離れに仕事をしに来てくれるようになったのだ。

ミシェルやマーズやジャックと一緒に自由気ままに暮らして快適でしかないわ！　と思っていたけれど、やはり慣れない私では掃除の行き届かない部分などもあるわけで。こうしてサラが来てくれるようになって以前より格段に毎日を健やかに過ごせるようになった気がしている。ありがたいことだわ。

そっと近寄ってきたサラは小さな声で言った。

「あの、その、私が側に近づいて、ミシェルちゃんは怒りませんでしょうか……？」

どうやら私と友達としてお茶をすることへの困惑とは別に、ミシェルの顔色をうかがっていたようだ。

アリーチェ様とサラが二人でこの離れに突撃してきた朝のことを思い返してみる。

あの時、猫ちゃんたちがとっても怒って二人に対して威嚇合戦を繰り広げていたわけだけれど、よくよく思い出してみればサラに一番猫パンチをしていたのはミシェルだったわね。

誰よりも甲高い声でみゃーみゃーと怒り、誰よりも小さな体で一生懸命攻撃を仕掛けるミシェルの姿にすごく微笑ましいわと思っていたけれど、サラは本気で怖かったらしい。

「大丈夫よ、ほら、こんなに可愛い子だもの。怖くなんかないわ？」

今ミシェルは私の膝の上で丸くなって小さく寝息を立てている。一番子供なミシェルはこうして私に抱っこされるのが何よりも好きみたいなのだ。

ふふん！　リリーベルの頃、野良猫たちのボスだった時には小さな子たちのお世話も随分してあげたものだもの。私はお姉さんだし、甘えん坊を可愛がるのはとっても得意よ？

ちなみにマーズは私の足元でゴロンと横になっているし、ジャックはどこかへ出かけている。

それでもまだ戸惑うサラをなんとか説得して椅子に座らせ、一緒にお茶を楽しんでいると、レーウェンフック辺境伯がカイン様とともに姿を見せた。

最近は魔物の出現が続き、討伐に出ていることが多いみたいだけれど、どうやら今日は大丈夫だったらしい。

「あなたはまたそうやって使用人とお茶などして……」

どこか困ったような顔で言ったレーウェンフック辺境伯にサラが縮こまった。

まあ！　主人たるレーウェンフック辺境伯がそんなこと言って、サラがまたお茶をともにするのを渋り出したらどうしてくれるのかしら？

「サラは使用人である前に私のお友達ですからいいのです。何の問題もありませんわ！」

「おともだち……」

私の言葉に反応して、呆然と呟いたのはサラだった。

「え？　サラ、どうして驚いているの？」

「普通、貴族の令嬢は使用人と友達になったりしないからではないか？」

今度はレーウェンフック辺境伯が答えた。

しかし、私としてはその答えはいただけない。

「それなら、私は普通じゃないのだわ。それにサラと仲良くしていることに対して辺境伯様が少し困惑しているのも、これが貴族令嬢らしくない態度だからですよね？　だけど、今この辺境の地で、周りに探り合いをしなくてはいけない相手もいなくて、貴族らしく振る舞う必要なんてないじゃないですか」

「…………そうか」

「もちろん、それらしい振る舞いが必要な時にはきちんと線引きをいたします。これでも長く王子妃教育を受けてきた身ですから、マナーに関しては心配なさらないでくださいませ」

できないんじゃなくて、今別にやる必要ないよね、と思っているからやっていないだけである。

しかし、確かにここにきて必要に迫られる場面が全くないため、必然的に彼は私の自由な振る舞いしか見ていないわけで。そんな私の振る舞いに不安を抱くのも仕方のないことだったのかもしれないと思い直す。

そりゃありリーベルとしての記憶が戻る前の私だったらこうはいかなかっただろうし、どこで誰の目があろうとなかろうと、いつでも貴族令嬢らしい振る舞いをしたかもしれないけれど。もちろん、良くも悪くもね。

そう思えば、ある意味予知夢の私の振る舞いは、悪い方向でとても貴族令嬢らしかったと言えるかもしれないわね。

けれどそれはそれとして、今の私はこうなんだもの。

価値観は変わるものだし、変わったっていいのよ！

（ところで、王子妃教育のことを口にすると、なぜかレーウェンフック辺境伯もサラもカイン様までどこか複雑そうな表情を浮かべるのはなぜなのかしら？？？）

まさか、私が元婚約者であるバーナード殿下を好きだったと勘違いしていて、婚約破棄のことを気にしてくれているわけでもあるまいし。

少し考えるそぶりを見せていたレーウェンフック辺境伯は、唐突に口を開いた。

「あなたは、俺とも友人になりたいと言っていたな」

「ええ。もちろん、お嫌でなければですが」

レーウェンフック辺境伯は私をあまり好きじゃないはずだから、無理にとは言わないけれど。

そう思いながら頷いたのだけど、彼は意外な反応を見せた。

「……それなら、俺に対しても、もう少し友人らしい振る舞いをしてもいいのではないだろうか？」

「え？」

「サラもカインも名前で呼んでいるのに、俺のことはいつまで爵位で呼ぶつもりなんだ？」

「まあ！」

私としては配慮のつもりだったのだけれど、向こうがいいと言うならばお言葉に甘えさせてもらうしかないわよね！

「では、フェリクス様と呼ばせていただきますわね！」

意外なことに、私がそう言うとレーウェンフック辺境伯——フェリクス様は、口の端をあげて薄く微笑んだ。

「ならば、俺もあなたをルシル嬢と呼ばせていただこう」

「ルシルで構いませんよ？」

「そうか。では、ルシルと」

私は気がついたのだ。フェリクス様は令嬢たちにも怖がられているし、今まで彼の交友関係などを耳にすることもなかったことから予測するに、あまり友達がいなかったに違いない。

（フェリクス様も友達が欲しかったのね！）

そんな喜びを表すように、よく見るとフェリクス様の頬が少しだけ赤くなっている。

私も嬉しい！　だって、ランじいとの愛称呼びには負けるけれど、呼び捨てで呼んでもらうのも、とっても仲良しっぽいわ！

それに、レーウェンフック辺境伯と呼ぶのは少し長いなと思っていたのよね。フェリクス様が私のことをグステラノラ嬢と呼ぶのも長いなと思っていたし。

「じゃあ俺はルシルちゃんって呼んじゃおうかな～！」

ニコニコと私たちのやり取りを聞いていたカイン様がそんな風に言い出したから、私は嬉しくなってしまう。

「もちろん、構いませんわ！」

だってカイン様も私のお友達だものね！

「うわ、なんだよフェリクス。そんなに睨むなよ！」

「睨んでなどいない」

「はあ〜無自覚かよ」

そして二人が今日もとっても仲良しで微笑ましいわ。

そんな風に和やかに過ごしていると。

「ルシル！　私が来たわよ！」

元気な声でそう告げながらひょっこりと現れたのは私のもう一人のお友達であるアリーチェ様だった。

「まあ！　フェリクスじゃない！」

そのアリーチェ様はフェリクス様がこの場にいるのを見て、とても嬉しそうに顔を綻ばせた。

けれど……。

「アリーチェか」

それとは対照的に、なぜかフェリクス様はどこか冷えた声で彼女の名前を呟くと、さっきまでの穏やかな微笑みを一瞬で消し去り表情をなくしてしまったのだった。

フェリクス様に恋をしているであろうアリーチェ様は、当然その変化に気がついてしまう。

「……なによ、その冷たい感じ。私が来るのは迷惑だって言いたいの」

私はてっきり、その言葉はすぐに否定されるものだと思ったのだけれど。

「そうだな、そう思ってもらっても構わない」

「……っ！」

冷たく突き放すようなその言葉に、アリーチェ様は泣きそうな顔で唇を噛んだ。

フェリクス様が予想外にバッサリと、迷惑であることを肯定するようなことを言ったので、私もびっくりしてしまう。

「わ、私は、フェリクスのことが好きなだけなのに……」

震える声で呟かれたそれはとても悲痛で、だけれどこの場にいる誰もが何も言わずに黙ったままでいる。

アリーチェ様がフェリクス様の恋人である事実はないのだろうと思ってはいたものの、ここまで冷たい態度を取るとは思ってもみなかったわ。

さすがに私もどうしたらいいか分からなくて様子を見守っている状態だけど、とてもとても空気が重い。とにかく重い。ど、どうしよう。

「フェリクスはずっと私に優しかったのに……どうしてこんな風に冷たくなっちゃったの……」

確かに、恋人かどうかはおいておいても、アリーチェ様はフェリクス様に『妹のように可愛がってもらった』と言っていたし、それは本当のことだったんじゃないかと思うのよね。今のアリーチェ様の様子を見ても本気で戸惑っているように見えるし。

それならばどうしてフェリクス様はこんなにも彼女に冷たく振る舞うのかしら？　いくらその気がなくとも、もう少し優しくしてあげてもいいのに……。

確かに私と初めて会った時にはなかなか強い言葉を言われたけれど、嫌われ悪女で押し付けられた婚約者である私に対する態度とは比較にならないものね。

そんな風にぐるぐると考えていると、アリーチェ様が私の方をキッと睨みつけた。

「ルシルが婚約者になったから？　だから急に冷たくなったの？」

「えっ！」

それは関係ないと思うのだけど……だって、私はエルヴィラじゃあないのだし……。

そんなまさかというようなアリーチェ様の言葉には、私より先にフェリクス様が答えた。

「ルシルは関係ない」

「ルシルっ？　ルシルですって!?　フェリクスが私以外の女を気やすく呼び捨てするなんて……！」

視界の端で、カイン様が小声で「あちゃ～」と言いながら天井を仰ぐのが見えた。

アリーチェ様は我慢ならないとばかりに怒りに震えた後、とうとう踵《きびす》を返し、その場から勢いよく走り去ってしまった。

「アリーチェ様！」

追いかけようとした私をカイン様がすかさず止める。

「あー今は放っておいた方がいいんじゃないかな？　少し落ち着く時間も必要だって」

「でも……」

（お友達が傷ついているかもしれないのに、何もせずに放っておくなんて！）

焦る私に対して、カイン様は困ったような顔をしているものの、とても冷静だった。

「特に、今のアリーチェを気遣うのがルシルちゃんっていうのは、あの子にとっても酷なんじゃないかな。」

思わずぐっと言葉に詰まる。それは……確かにそうかもしれない。

アリーチェ様は自分が冷たく拒絶された原因が、私が婚約者になってしまったからではないかと言っていたわけで。少なくとも私にはそれが理由のはずはないと分かっているけれど、アリーチェ様からすれば、そんなことは分からないものね。

予知夢の私も、フェリクス様に相手にされない憤りの中で、彼の特別だったエルヴィラに何か言われることが何よりも許しがたかった。それは、内容がどんなものであれだ。

私とエルヴィラの立場はあまりにも違うし、もちろん私とアリーチェ様の立場だって全く違うものだけれど、少なくとも私が何かをするのはあまりいい手ではないということは分かった。

考え込んでいると、カイン様は慌てて付け加えた。

「ちなみに、念のために言っておくと、フェリクスがアリーチェと距離を置くようになったのはルシルちゃんとの婚約が決まるよりもずっと前で、ルシルちゃんのせいなんかじゃないからね。今はパニックになっているだけで、そのことはアリーチェも分かっているはずだから、あまり気にしないで」

「はい。ありがとうございます」

もどかしい気持ちで、少し離れた場所に立つフェリクス様のことをちらりとうかがってみる。

一体、フェリクス様は何をどう思っているのかしら？

（……あら？）

しかし、そのフェリクス様の表情がとても硬く強張っていることに気がついた。

（どうして拒絶したフェリクス様がそんな複雑そうな顔をしているのかしら？）

まるで彼の方こそひどい裏切りにあったようにさえ見える。

私の視線に気づいたカイン様が、フェリクス様には聞こえないような小さな声でこっそりと囁いた。

「確かにアリーチェには少し酷だったかもしれないけど、できればフェリクスのことを責めないでやって。あいつにも色々事情があるんだよ」

そう言われてしまえば、私は受け入れて頷くしかない。

よく考えてみれば私はここで一番の新参者で、いくら友達になったとはいえフェリクス様のこともアリーチェ様のこともまだ知らないことばかりなのよね。事情の分からない私が首を突っ込みすぎるのはよくないかもしれない。

誰かにとって当たり前だったり、正しいと思うようなことが、別の誰かのことを深く傷つけることもあるのだから。

少し時間が経ったら、アリーチェ様にお菓子を持っていこうかしら。だって美味しいものはお腹だけじゃなくて心も幸せで満たしてくれるものね！

そうしてフェリクス様とは関係のない話をして女の子同士で楽しむのよ！

とりあえずフェリクス様のことは考えないことに決めて、気を取り直してこれからのことを考えていたのだけれど。

間もなく、そう悠長なことを言っていられなくなる事態が起きた。

「おい！　アリーチェの嬢ちゃんが森の方に走っていったように見えたんだが、ありゃあ大丈夫なのかい？」

それは屋敷の裏手の方から顔を見せたランじいの言葉だった。

私にはランじいの心配そうな発言の意味がよく分からなかったのだけど、その言葉にフェリクス様とカイン様がさっと顔色を変えたのだ。

その変化は何も知らない私でも、森の方に行くことがよくないことなのだとすぐに察することができるほどで。

（そういえば……最近フェリクス様たちは魔物の出現が多くて頻繁に討伐に出ていたのよね？）

嫌な予感がする。

そして、残念ながらリリーベル時代から、私のこういう予感はすごくよく当たるのだ。

「にゃああ――――ん!!」

その時、どこかに出掛けていたジャックが突然勢いよく茂みから飛び出してきて、私に必死に訴えかける。

「……なんですって?」

ジャックが教えてくれたのは、まさに嫌な予感がとてもとても悪い形で実現してしまいそうな事実だった。

「フェリクス様! 私と一緒にすぐに森に向かってください! アリーチェ様が危険かもしれません!」

さっき首を突っ込むのはよくないと思ったばかりだけれど、命の危険があるのなら話は別よ!


「何よ、フェリクスなんか、フェリクスなんか……!」

初めて会った時から、ずっと優しかったフェリクス。

レーウェンフックの屋敷から十分離れたところまできて、とぼとぼと歩きながら、自分がさっき吐き捨てた言葉を思い返して大きなため息をつく。

『フェリクスはずっと私に優しかったのに……どうしてこんな風に冷たくなっちゃったの……』

そう、フェリクスはずっと私に優しかった。フェリクスだけが、私に優しかった。

……まあ、ある程度大きくなったらフェリクスがカインとも引き合わせてくれて、カインもまあまあ優しかったけど。それはそれだ。

私、アリーチェはロハンス伯爵家の第三子として生まれた。

上には跡取りであるとても優秀な頭脳を持つ兄と、魔法の才能溢れる姉がいる。

そんな二人の後に生まれた末っ子の私。もちろん、両親も兄姉も周囲の誰もが「きっと次の子も優秀に違いない」と私の能力に期待していた。

だけど――私は兄や姉のように優れた子供ではなかったのだ。

いいえ、幼い頃には分からなかったけれど、私は別に無能というわけではなかった。

普通に使える魔法。普通にできる勉強。普通に飲み込みは悪くなく、普通に好奇心も、豊かに揺れる感情もあった。

けれど、兄と姉によって『普通』のハードルがとても高くなっていた両親にとっては、本当に普通な私などとるに足りない存在だったのだ。

ねえ、特にしくじってもいないのに、あからさまに『ダメな子』を見る目で見られる気持ちが分かる？

小さな私は普通に子供らしく無邪気で純粋で、だからこそ両親が兄や姉を見る目と私を見る目が違うことにはすぐに気がついた。

罵られることこそないものの、自分だけ一度も褒められることがないのにも気がついた。

失敗していないのに漂う残念な空気は、どうやら私のせいらしいと気がついた。

いつも向けられる不思議な表情が、

「あ、これってがっかりしてる顔なんだ」

って、そう気がついてしまった時の私の気持ちが分かる?

『特別』な兄や姉の存在が、『普通』の私を『ダメな子』にした。

だけど、フェリクスは違った。私が普通であることを、素晴らしいことだと言ってくれた。

自分は普通じゃないからと。

当時の私にフェリクスが普通じゃないという、その意味は分からなかったけれど、褒められて優しくされたことが、ただただ嬉しかった。一瞬でフェリクスのことが大好きになった。

初めて私の『普通』を『特別』にしてくれた人。

それからの私は、本来の自分を取り戻した。

具体的に言うと、元々の私は、ダメな子扱いされて、ただ大人しくシュンと縮こまるような人間じゃなかったのよね。

(きっといつか普通な私が『特別』を手に入れて、『特別』が大事な家族を驚かせてやるわ!)

それからは両親や兄や姉に私の方から見切りをつけて、フェリクスやカインについて回るようになった。

二人とも、まるで妹のように可愛がってくれた。本当の兄や姉には妹扱いされたことなどなかった私のことを。

あまりにも特別を追い求めるが故に、たまに無謀なことをして、私が危険な目に遭うと、真っ先に助けに来てくれたのもフェリクスだった。

その時に気がついたのだ。

フェリクスは、きっと私の運命の人なんだ。

そして、気づいたことがもう一つ。

――特別なフェリクスは、きっと次の運命の英雄に違いない。

それなら私は、そんなフェリクスのそばで、彼のことを支えるの！

フェリクスは、自分は特別なのではないと言い、そして事あるごとに私を妹のように思っているとわざわざ口に出すようになった。

だけどきっと、フェリクスもいつか私を女の子として好きになってくれるはず。

だって私はフェリクスの運命の乙女なんだから！

それなのに……ルシルが現れた。

ううん。本当は分かっていたの。ルシルは関係ない。

だってルシルが現れるよりずっと前から、フェリクスは少しずつ私に冷たくなっていったから。

だけどそんなこと認められなかった。

フェリクスだけが、私を認めて優しくしてくれたから。

一度そうカインに愚痴をこぼしたら、「俺もいるじゃん？」と困惑気味に言われたけれど、カインには特別な女性がいすぎて、カインの特別は軽すぎるのよ。

フェリクスが少しずつ冷たくなっていっても、フェリクスが名前で呼び捨てにする令嬢は私一人だけ。

だから、まだ私は特別。そう自分に言い聞かせていたのに。

「ルシルって、呼んでいたわ……」

なによ、フェリクスなんか！

「私に優しくないフェリクスなんか大嫌い！」

女の子だったら誰にでも優しくするくせに、フェリクスを怒ってくれないカインも大嫌い！

ふざけた理由で押し付けられた婚約者のくせに、フェリクスに名前で呼ばれるルシルも大嫌い！

（みんなより少し年下だからって、きっと私のことを子供だと思ってるんだわ！）

子供の私には適当な態度でいいんだって、そう思ってるんでしょ！

だから誰も私のことを追いかけてきてくれないんでしょ……。

「私を愛さない家族も大嫌い。みんなみんな大嫌い！」

悲しい気持ちを怒りで誤魔化しながら歩いていると……私が突然乗り込んで行って、一方的にひどい態度をとっても怒りもせずに、ニコニコと話を聞いてくれたルシルの顔が浮かんできた。

……本当は、ルシルが優しい人だって気がついているのに、そんなルシルに八つ当たりしかできない自分のことが、一番大嫌い……。

——だから、私が悪い子だから。きっと、こんな目に遭うのだ。


「う、うそ……!!」

逃げ込んだのは、小さな頃によく隠れるのに使っていた森の中。

小さな私がひとりぼっちで隠れていても大丈夫なほど、静かな森だったはずなのに。

一人で小さくなって座っていた私の頭上に影が落ちて。

見上げた先には、本でしか見たことがない大きなソレがいた。

「どうして、こんなところにドラゴンが……！」

特別ばかり欲しがって人を傷つける悪い子だから、バチが当たっているの？

「ひっ！」

ドラゴンの赤い瞳がゆっくりと私の姿を映す。

私、こんなところで死んじゃうの……!?

（いやだ、死にたくない!!）

絶望に飲み込まれそうな私の耳に、声が聞こえてきたのはその時だった。

「にゃおーん？　ねえジャック、こっちで合っているのよね!?　どこにいるんですかアリーチェ様ーっ!?」


私はフェリクス様とともに馬に乗り、カイン様と連れ立って森に急いで向かっていた。

フェリクス様は私を連れて行くことに難色を示したけれど、友達であるアリーチェ様が危ないかもしれないのに大人しく待っているだけだなんてできるわけがないわよね！

それにジャックがアリーチェ様の居場所が分かると言っているんだもの。しらみつぶしに捜すよりも、真っ直ぐにアリーチェ様の元へ向かう方がいいに決まっているわ！

そう伝える私にフェリクス様は戸惑っていたけれど。

「ルシル、あなたは一体……いや、今はそれどころではないな」

どうやっても折れそうにないと分かってくれたのか、こうしてフェリクス様の馬に一緒に乗せてもらっているのだ。

私も自分一人で馬に乗りたかったのだけれど、乗馬をしたことがないのも事実なのでこればかりは甘んじて受け入れることにした。今度絶対に練習しよう。

「にゃあ、うみゃおん？　ありがとうジャック！　フェリクス様、その大きな木の先を右の方に向かってください！」

何か言いたそうな顔をしたフェリクス様は、それでも私の言う通りに進んでくれている。

「この場所は本来、魔物が出るような場所ではないはずだった。最近頻発する魔物の出現と何か関係があるのかもしれないが、ここ数日で急に魔力に満ち始めたんだ」

「そうですか……」

フェリクス様が言っていたように、私が実際に森に入ってみて抱いた印象は「とても魔力に満ちた場所だなあ」だった。

けれどこうして進めば進むほど、それは少し間違っていたことに気づく。

この場所に魔力が満ちているんじゃなくて、とても大きな魔力を持った存在がこの森にいるんだわ。

（というか、これってひょっとして。私の勘違いじゃなければ……）

む！　そんなことより、アリーチェ様の気配が近づいてきている気がするわ！

だけど何かの魔力がとっても強くて、はっきりどこか分からないわね。

「にゃおーん？　ねえジャック、こっちであっているのよね!?　どこにいるんですかアリーチェ様ーっ!?」

声をかけながら、ジャックが先導する方へ馬を走らせる。それにしてもジャック、とっても足が速いわね……!!

というか、これって普通じゃないわよね？

私はリリーベルだった頃、アリス様の身体強化魔法でとっても速く走ることができたけれど、ジャックももしかして普通の猫じゃあないのかしら？

そうして焦る気持ちを抑えながら、一際木々が密集している部分を抜けると、少し開けた場所に出た。

そこで、突然馬がか細い声で鳴き、ブルブルと震えながら弱々しく足を止めた。

「――――っ!?」

私の頭上でフェリクス様が息をのむのが聞こえる。

森の中にそぐわない、黒い塊がいた。

そのすぐ側には顔を真っ青にしてへたりこんだアリーチェ様。

黒い塊……黒いドラゴンは、赤い瞳でアリーチェ様を見据えている。

高い木も多く、深く大きな森とはいえ、ここに身を隠せるなんてこのドラゴンは恐らく少し小さいのだ。とはいえ、それでも人の身に比べればあまりにも大きいそれに、後ろにいるフェリクス様からも緊張が伝わってくる。

「まさか、そんな……こんな場所にドラゴンなどと……」

「――ええ、本当に。まさかこんな場所でこんな光景に遭遇することになるとは思いませんでしたわね」

フェリクス様の独り言に会話のように返すと、彼はハッと我に返ったように動き、私を庇うように前に立った。そのまま腰に携えた剣をゆっくりと抜き、構える。

アリーチェ様もおそらく私たちに気づいているようだけれど、ドラゴンと目が合ったままピクリとも動けなくなっている。

「ルシル、あなたはこのまま静かに下がって、一人でこの場から逃げるんだ」

ドラゴンへの集中を切らさないようにしながらも、小さな声でそう私に指示するフェリクス様。

私は思わず感心してしまう。

(ええ～なに？　フェリクス様、そんなかっこいいこともできるの～？？？)

かっこいい人のかっこいい行動、最高です！

あわよくば、エルヴィラにこうしているところを少し離れたところから美味しく拝見したかったわね。

ところどころで少し気になる発言なんかもあるものの、きっと基本的にフェリクス様はとっても紳士的な人なんじゃないかしら。

そんな、この場にそぐわないことを考えたりしながら。

（……こんな状況じゃなければ、いい思い出になるわってもっともっとはしゃげるのに）

ドラゴンは私とフェリクス様の登場に気づいた様子もなく、アリーチェ様に顔を近づけていく。

その口をゆっくりと開いて、鋭い牙が剝《む》き出しになった。

あまりの恐怖に震えることしかできないアリーチェ様の目に涙が浮かんでいるのが見えて、私の心には怒りが湧いてくる。

少しだけ気持ちを落ち着かせるためにため息をつくと、そのまま大きく息を吸って――

「やめなさーい!!　あなた、またこんなところで悪さしているのッッ!?」

私の大声に、ドラゴンがピタリと動きを止め、赤い瞳を驚愕したように見開いてこちらに振り向いた。

「な、な……！」

なぜかフェリクス様も驚いて口をわなわなとさせているわね？　まあ今の大声を一番間近で聞いてしまったのは彼だから、ひょっとしたら耳が痛かったのかもしれない。物理的に。

人の耳には害が出ないように気をつけたつもりだったのだけど……もしも私の大声にフェリクス様がとっても怒っているようなら、後で謝って許してもらおう。今はこっちが先。

そう思って私はドラゴンに集中する。

とってもとっても、よーく覚えがある、この悪ガキドラゴンに。

『な、この魔力……ま、まさかリリーベル……!?』

寿命がものすごく長く、実は知能が高いドラゴンという種族は、人に伝わる言葉を喋ることができる。

リリーベルと呼ばれたことに対して、フェリクス様やアリーチェ様に前世のことを話す予定が今のところない私は、どうしようか迷ったあげくとりあえずとぼけておくことにした。

「は？　リリーベルってどなたですか？　私はルシルですけど？」

『………』

できるだけ威厳が出るようにスンッとすまして冷たく言い放つと、ドラゴンは何度か口を閉じたり開いたりした後ついに大人しく黙ることを選んだようだった。

そうね、今の所いい判断だと思うわ。だって私、今とっても怒っているんだもの！

むかーし昔、まだ私がリリーベルだった頃、悪いことばかりするドラゴンがいました。

初めて彼と会った時、リリーベルは「これはとてもじゃないけれど仲良くはなれないな」と思いました。あまりにも乱暴で、無神経で、人間を平気で攻撃するような子だったからです。

……まあ、それが今私の目の前にいる、黒い体軀と赤い瞳を持ったドラゴンのことなわけだけれど。

このドラゴン――名前をマオウルドットというのだけど、彼と前世の私はいわゆる腐れ縁のような仲だったのよね。

まさか、人間になってまでまたこうして再会することになるとは……。

私はフェリクス様の後ろから飛び出ると、ツカツカとこの悪ドラゴンの前に近寄っていく。

「ちょっ、おい、ルシル、待て……っ！」

フェリクス様が慌てて私を止めようとした気がするけれど、それよりも私が怒りをぶつける方が早かった。

「マオウルドット！　あなた、あまりに時間が経ったことで封印が緩んだのね！　あなたはいつも『もう悪いことなんてしないのに！　自由になりたい！』って愚痴っていたけど、封印が緩んだ途端にさっそく悪さをするなんて、相変わらず懲りていないじゃあないの！」

『ひいっ……まっ、ちがっ』

マオウルドットはなんとも情けない声を上げた。

実は、このドラゴンは私のことが少しばかり怖いのだ。

彼はいつの時代でも、バカにしていた人間の中のあるたった一人にはどうしても敵わなくて、そしてそのたった一人というのがいつだって、何の因果か私の愛する歴代飼い主たちで。

おまけに私を愛してやまなかった飼い主たちはみんなこぞってリリーベルを愛するあまり、ことあるごとにとっておきの魔法や自分の魔力を与えたがったのよね。

……つまり、私はマオウルドットが震え上がる対象だった彼ら彼女らの魔力を、すべて少しずつ受け継いでいることになるわけだ。

別に、私がマオウルドットに勝てるわけではないのよ。だってドラゴンと人間だし、前世だってドラゴンと猫だったし。さすがに現実的に考えてそんなの無理だわ？

けれど多分、この身に宿る魔力に対する、刷り込まれた恐怖というものはなくそうと思ってなくせるものじゃあないのよね。

そしてこのドラゴンが矮小なる私を怖がる理由がもう一つある。

私はどこか呆然としたまま立ち尽くしているフェリクス様に向き直ると、ビシリとマオウルドットのとある部位を指差した！

「フェリクス様！　ここ！　剣に魔力を流して、この恐ろしいドラゴンのこの部分をぶっ刺してやってください!!　大丈夫です、緩んでいるとはいえまだ封印が解けていないので、逃げられないはずですから！」

『ぎゃあ！　恐ろしいのはお前の方じゃないか！　この人でなしっ！』

フェリクス様は私とマオウルドットの緊張感の欠けるやりとりに、目を白黒させて戸惑いながらも、自分の剣と、私とマオウルドット、そして私が指差したマオウルドットの太くて大きな尻尾の、根元近くの一部分だけ紫色になった部分を順番に見つめている。

マオウルドットが矮小な私を怖がる理由……それは長い付き合いの私が、すっかり彼の弱点を熟知してしまっているからに他ならない。

「フェリクス様？　さあ、どうぞ！」

「……すまない、魔力はルシルが流してくれないか」

「私が剣に魔力を？」

（それはいわゆる共同作業ってやつね！　とっても仲良しっぽくて素敵だわ！）

言われた通りに差し出された剣身に魔力を流すと、フェリクス様は隙もなく流れるような身のこなしで獲物に近づき剣を振り上げ、黒いドラゴンの尻尾に向かって勢いよく振り下ろしたのだった。

『ぎゃあああ――――!』

そもそも、最初にマオウルドットと出会ったのは、私が大魔女アリス様に長い寿命をもらって少し経った頃だった。

『聞いてよ、アタシの可愛い可愛いリリーベル。どうやら人への悪さが目に余るドラゴンが東の方にいるらしいから、一度この偉大なるアタシが躾《しつ》けてやろうと思ってるんだ』

アリス様、今思えばあの時、他の人間に泣きつかれていたんだろうなあ。

そして私はアリス様とともに黒いドラゴンと出会った。

ドラゴンは偉大なる大魔女アリス様の魔法でボコボコにされて、泣いて謝っていた。

最初は学習しないおバカなドラゴンだったそいつは、四回目にボコボコにされて泣いた後、ついに本気で反省した。

むしろあんなに泣いておきながら、どうして三回は「まだいける」と思えたのかしらね?

そして四回目の大反省の後に、彼はアリス様に名前を与えてもらっていた。

そう、「マオウルドット」という名前はアリス様がつけたものなのだ。

『アタシの可愛いリリーベル。名前って言うのはね、とっても特別な力を持っているのよ』

アリス様はそう言ってにんまりと笑っていた。

名づけによって魂に繋がりが生まれた彼はそれ以降、アリス様に逆らえなくなる。

しかしアリス様がいなくなってしまってしばらく経った頃、マオウルドットはまた人に手を出すようになった。

その被害が目に余るようになり、人が赤い瞳の黒いドラゴンを恐れるようになった頃、立ち上がったのが当時の聖女クラリッサ様だった。

全然望んでいなかったのに、黒いドラゴンと白猫リリーベル、まさかの再会である。

『ある意味アリス様よりクラリッサの方が怖かった時もあるくらいなんだけど……』

とは、のちにマオウルドットが私に愚痴ってきた言葉だ。

アリス様は多分マオウルドットのことをペットくらいに思っていた気がするけれど、クラリッサ様は人を傷つけたマオウルドットに対して、笑顔で容赦なかったものね……。

とにかく、クラリッサ様に聖魔法の力押しでぶん殴られたマオウルドットはまた反省した。

しかし、懲りないおバカさん、マオウルドットはまた繰り返す。

何度も繰り返す。

それはもう、本当はわざとなんじゃないのかしら？　っと思うほど繰り返す。

そしてその度に私の愛する飼い主たちに泣かされていた。

冒険する天才料理人マシューには食材にされかけ（尻尾をちょっと食べられてた。私もちょっとだけ食べたけれど美味しかったわ?)、コンラッドには商人魂が斜め上に走ってしまった結果ついに始めた錬金術の材料にされかけ(なんか色々とられてまた泣いていたわよね……)、ローゼリアには力を強制的に押さえつけられるように魔力を叩きこんだ特別な魔道具の首輪をつけられ、ヒナコにはなんだか妙な服を着せられて——反抗心なのか何なのか、時を重ねるごとになぜか悪さのレベルも上がっていき、ついには勇者エフレンに封印されてしまったというわけだ。

ちなみに私はその時、

「人を傷つけないで大人しくしていれば自分も泣かされることはないのに……おバカなドラゴン。まあこれでもう会うことはないわね」

と思っていた。

それなのに、封印されて小さくなったうえに、森に縛り付けられて動けないマオウルドットは、あれ? 私たちって親友だったかな? と聞きたくなる気やすさで私をお喋りに誘ってくるもんだから……まあ……あっちが友達になりたいって言うなら……仕方ないから? 優しい私は? 会いに行ってあげるのもやぶさかではないけど? うふふ!

そうして会いに行っては、おバカなマオウルドットの愚痴を聞いてあげたりしていたわけだ。

初めて会った時、「これはとてもじゃないけれど仲良くはなれないな」と思ったはずだったのに。

私から歴代の愛すべき飼い主たちの魔力を感じるからか、「おい、お前こっちにあんまり近づきすぎるなよ……!」なんてなぜか文句を言われながら、仲を深めることになってしまった。

そうやってなんだかんだで、リリーベルとマオウルドットの腐れ縁は、私が悪魔召喚の魔法陣に飛び込んで死んでしまうまでずっと続いていたのよね。

——そして、時を経て今。

フェリクス様の剣によって緩んだ封印を元通りにされた愚かな黒いドラゴンは、小さくなって私達の前でしくしく泣いている。

『大体さ、悪さなんてするつもりもなかったのに……せっかく緩んだ封印を問答無用でガチガチに固めやがって……しかもオレが一番やられたくない方法で……この冷酷女め……』

「私の大事なお友達であるアリーチェ様に牙をむいて泣かせたのはどこの誰よ」

『ちょっとした冗談だったかもしれないだろ？』

「あなた、口でそう言って何度やらかしてきたのよ」

『………』

愚かで少し素直なマオウルドットは急に押し黙った。

ほらごらんなさいよ！　やっぱりアリーチェ様を傷つけるつもり満々だったんじゃないの！

アリーチェ様に怪我をさせる前に封印され直したことにむしろ感謝しなさいよね。事後だったらもっともっとひどい方法で痛めつけてやるところなんだから！

そこでハッと我に返る。

そうよ、アリーチェ様！

こんなめそめそドラゴンの口から出まかせを呑気に聞いている場合じゃなかったわ！　私としたことが！

私は封印によって私より少し小さいくらいにサイズダウンしたマオウルドットの体をぐいっと押しのけた。

『ぐえっ』

「アリーチェ様！　大丈夫ですか!?　怖かったですよね、もう大丈夫です！」

慌てて駆け寄りそう声をかけると、どこか呆然とした様子で座り込んだまま、ポカンと私を見上げるアリーチェ様。

まだ衝撃から抜け出せないのかもしれない。それはそうよね、こんな恐ろしいドラゴンに攻撃されかけてしまったんだもの。

やっぱり、もっと痛めつけてこらしめてやった方がよかったかしら……フェリクス様の手で。

だけど、アリーチェ様の目に浮かんでいた涙は引っ込んでいるようだし、体の震えも止まっているみたい。少しでも落ち着いてきているその様子にホッと安堵する。

しかし私がその手をとりそっと両手で包み込むと、アリーチェ様は再びブルブルと震えはじめた。

ああっ、少しは落ち着いたかと思ったけれど、そんなわけがないわよね。

アリーチェ様はちょっぴりツンとしているけれど、とっても可愛らしい普通のご令嬢だ。

こんな恐ろしいドラゴンに遭遇するのももちろん初めてのことに決まっているし、やっと危険な状態から脱したからこそ、改めて恐怖に支配されてしまってもおかしくない。

『なあ、さっきから心の中で俺の悪口言ってない……？』

恐ろしいドラゴンのか細い呟きなんて無視だ、無視。

むしろ恐ろしいドラゴンに怯えているご令嬢を私が慰めているところなんだから、ちょっとの間だけでも静かに待っていてほしいものだわ。

アリーチェ様は震えながら、目をウルウルさせて私をじっと見つめた。

「ル、ルシル、あ、あ、あ……」

可哀想に、言葉が出ないほど怖い思いをしたのよね。

少しでも安心してもらおうと、私はうんうんと頷きながら声をかける。

「はい、アリーチェ様、あなたのお友達ルシルですよ～もう大丈夫ですよ～」

しかしアリーチェ様は落ち着くどころか、突然カッ！　と目を見開いた。

「ルシル！　あなた!!」

「えっ!?」

「あなた、ドラゴンを倒すことができるの!?」

「えっ……いえ、この恐ろしいドラゴンが大人しくなったのはフェリクス様のおかげで」

「すごいわ……！　私、ルシルがさっそうと現れて……大きくて恐ろしいドラゴンを前にしても全く引かずに怒鳴りつけてくれたこと、きっと一生忘れないわ……ルシルが、私のために」

「ええっと」

『オレ、そんなに恐ろしい？』

さっきは悪口と捉えて拗《す》ねていたくせに、なぜか少し誇らしそうなマオウルドットはやっぱり無視だ。

それにしても、う、ううん？　なんだかそう言われるととってもすごいことを成し遂げたかのように聞こえるけれど……。

実際マオウルドットの封印を結び直したのはフェリクス様だし、もしも普通に戦ったとしても、正直私の力じゃあいくら弱点を知り尽くしていてもマオウルドットに勝つことはできないと思うのだけれど。

「私のために命の危険も顧みず助けてくれるなんて……ルシル、いいえ、ルシル様……ルシルお姉様っ！」

（お、お姉様っ!?　私が、お姉様？）

でも、アリーチェ様は私の大事なお友達で……私は……。

──あれ？　お姉様っていうことは、つまりアリーチェ様は私の妹のような存在になるということ？

それは……そんなに悪くないわね？　うふふ！

「ルシル……あなたはどうしてこのドラゴンの名前や弱点を知っているんだ？」

そう声をかけてきたのは、ずっと何か考え込んでいる様子だったフェリクス様で。

……確かに、そう疑問に思うのも無理ないわよね。

私は考える。別にリリーベルだったことを絶対に隠しておきたいわけではない。けれど、今ここで説明する必要があるのかというと、そういうわけでもない気がする。

というより、私とフェリクス様、アリーチェ様は友達にはなったものの、実際のところ、まだそこまで信頼関係が築けているわけではない。

今の私が本当のことを言って、簡単に信じてもらえるものかしら？

むくむくと、脳内で想像が広がっていく――

『前世猫だった？　俺は真面目に聞いているのにふざけているのか？　やっぱりお前のような愚かで醜い女は嫌いだ！』

『そんな嘘をつくなんて、ルシル最低！　お姉様だと言ったのは今すぐ取り消させてちょうだい！　いいえ、それどころかこの瞬間からもう友達でいるのもやめさせてもらうわ！』

――ダメ！　これはちょっとダメだわ！

とりあえず、もう少し私に対する信用を勝ち取るまでは前世のことを話すのは止めておこうと決意する。

そのため、私はしれっと口から出まかせを言ってのけることにした。

「ドラゴンについては、王子妃教育で学びました。それと、私はとっても勘が鋭いので、きっとあの色が変なところが弱点じゃないかな～っと思ったのですが、ばっちり当たっていましたわね！」

「王子妃教育で……」

「勘で……」

『おい、その色の変なところってオレの尻尾のことじゃないよな……⁉』

さすがに苦しかったかしら……。ほんのすこーしだけだけれど、ドラゴンについては教育の中に組み込まれていたのは本当なのだけど。ドラゴンは人間にとって脅威だものね。

するとと、怪訝な顔をしていたアリーチェ様が突然顔色を変えた。

「ハッ！　私、いつだったか大好きな運命の英雄に関する書物で読んだことがあるわ……その昔、当時の運命の英雄だった勇者様が深い森の中に封印したという、魔王の話を……森に封印という共通点、ドラゴンという恐ろしい生き物、魔王、まおう……マオウルドット？　魔王るどっと!?　そして、その魔王るどっとを、たった一言でひれ伏せさせたルシルお姉様……ま、まさか!!　……運命の、英雄様――」

　アリーチェ様は何やらブツブツ呟き続けているけれど、小声な上にあまりにも早口すぎて全く聞き取ることができない。

　そんな彼女の隣にいるフェリクス様は驚いたような顔をしているから、聞こえなかったのは私だけなのかもしれないわね。

　ちょっと気になるけれど、とてもじゃないけど聞ける雰囲気ではないため、諦めるしかなさそうだ。

　とにかく、ここからどうやって収拾させるべきか考えていると、「おわっ！」と誰かが驚く声が辺りに響いた。

　現れたのは、とっても遅れてやってきたカイン様。

「えっ、えっ？　そ、その黒くて丸いやつ、なに……!?」

『黒くて丸い？　そんな奴がいるのか??』

　マオウルドットとカイン様が、お互いにキョトンとした顔で見つめ合っている。

……とりあえず、マオウルドットはこの場に放っておいて、私達はレーウェンフック邸の方に戻りましょうか。


森を去っていく人間たちを見送りながら、オレはその場に寝転がりくるんと丸くなる。

あいつめ、久しぶりに会って早々本気でオレのことをガチガチに封印し直しやがって。

どうせ知らないんだろ、ドラゴンであるオレが自由に空を飛べないことがどれほどストレスかってことをさ。

そのストレス解消のために、いつだってリリーベルを呼びつけて話し相手をさせていた。

だって、お前がオレを封印したんだろ。

そう言えば、リリーベルはいつだって『私じゃなくて、封印したのはエフレンでしょ』と呆れたようにうにゃうにゃとため息をついていた。

いいや、お前は何も分かっていないよ、リリーベル。

お前がいなければ、オレが、お前を傷つけるかもしれないことを恐れて力を加減していなければ、このオレが人間なんかに封印されるわけがなかったんだ。

だから、オレを封印したのは、やっぱりお前なんだ。

(リリーベル……今は、ルシルか)

懐かしい元白猫、現人間のことを思い浮かべて思わず顔を綻ばせる。

オレは、ドラゴンだ。誇り高きドラゴン。今はちょっと封印とかされちゃって体も小さくなっているし、森に縛り付けられてこの場所から動くこともできないけど……。

それにしても、ルシルは勘違いしている。久しぶりにルシルに怒鳴りつけられたあの瞬間、オレは本当に、あの人間を攻撃して傷つけてやろうとしていたんじゃないんだよ。

そうじゃなくて、本当はあの時、俺はあの人間を傷つけるどころか――殺そうとしていたんだ。

……だって、あの人間からリリーベルの魔力を少しだけ感じたから。

だから、オレは勘違いしたんだ。

（オレからリリーベルを取り上げたのは、こいつか!!）

ってさ。

頭に血が上ってしまったことは認める。でも仕方ないだろ？　オレはほとんど永遠と言ってもいいほど長い時間を生きるドラゴンで。うっかり封印とかされちゃってて。どこにもいけなくて。

……リリーベルがいなくなってからは死んだように生きていたんだから。

だから、リリーベルと会えなくなってどれくらい時間が経ってたのかとか、そういうの本当に分からなくなってたんだよ。

冷静になってみれば、リリーベルと最後に会ったのはもうずっと昔のことで、どう考えたってあの人間が生まれるよりずっと前、少なくともあの魂の前々世以上は前だって分かるのにな。

「よく考えたら殺しちゃう前にルシルが来てよかったよな……殺しちゃった後だったら、きっとルシルは一生許してくれなかった」

口に出して、間一髪危なかったことを実感し、思わず背筋が寒くなった。

今さら、今さらルシルに嫌われるなんて、絶対に嫌だ。

……まあつまりはさ、それだけオレにとってはリリーベルが大事で、そんなあいつの魔力を久しぶりに、それも別人から感じたから、オレとしたことが冷静さを欠いたってわけ。

「それにしてもリリーベル、やっぱり死んでたんだな。でも、よかった、また会えて……」

そういえば、リリーベルがいなくなってからこの土地はじわじわと呪いに満ちていっている。今までは喪失感でいっぱいでそれどころじゃなかったから気にもしたことなかったけど、どう考えてもオレの封印が緩んだのも、この呪いが強くなってきている影響だよな？

そんで、オレを封印しなおしたあの男。ルシルはフェリクスって呼んでたっけ？　あいつが特に呪われていた。

オレの封印より先にあいつの方をどうにかした方がいいんじゃないのかって思うレベルだよ。ルシルに意地悪言うなって怒られそうだから、言わないけどさ。

そういえばフェリクスってやつ、『アイツ』にどこか似ていた気がするような。あの、リリーベルが最後にオレに会わせてくれた飼い主。名前はなんて言ってたっけな？

リリーベルは『この子には名前がないのよ。今ね、私が付けてあげようと思って、考えているところなの』って言ってたけど、リリーベルがいなくなった後に一度だけ一人でオレに会いにきて、名乗るだけ名乗っていなくなったんだよな。

どこかで聞いたことあるような名前だったから、ちゃんとリリーベルがいなくなる前に付けてもらえてたのかもなって思ってたんだけど、今となってはよく分からない。

だって興味なかったし。だから名前も忘れた。

アイツ、元気にしてるかな？　今どこにいるんだろう。

今まで長い間思い出すこともなかったのに、ルシルに会って安心したら、なんだか急にいろんなことを思い出してきたじゃないか。

まるで、ルシルに会ってオレの死んでた時間がまた動き出したみたいだ。

それにしても全く、リリーベルはオレの気も知らずに、いつだって誰かとべったりしていた。昔からずっと、それがどれほど面白くなかったことか。

お前、猫だろ。なんで人間といるんだよ、オレといればいいじゃん。オレも猫じゃなくてドラゴンだけどさ。そう思って…………。

ん……？

「――ちょっと待て。フェリクスっていったっけ。まさか、次はあいつなのか……!?」

今までリリーベルは白猫だった。だからまあ、人間のそばにいるのも仕方ないかと思っていたけど……。

「オイ、嘘だよな？　だって、もう猫じゃないんだから、飼い主なんかいらないだろ？　オレの考えすぎだって言ってくれ。リリーベル……いや、ルシル……」

オレは到底横になったままでなんていられずに、ガバリと勢いよく起き上がって、封印のせいできっと聞こえもしないのに、空に向かって咆哮《ほうこう》した。

「フェリクスってお前のなんなんだよルシル――――ッ!?」


来た時と同様、フェリクス様の馬に乗せてもらって森の出口に向かう。

ちなみにアリーチェ様は近くで待機していたカイン様の馬に乗っている。

「にゃあ〜ん」

「ええ、本当にあなたのおかげよ！　ありがとうジャック」

「うみゃ」

私達を連れて行ってくれる時には勇ましくも馬よりよほど速く走ったジャックは、自分の役目は終わったとばかりに私の腕の中で丸くなり、「僕頑張ったでしょ？　役に立ったでしょ？」と可愛い声で甘えている。いとかわゆし。

ちなみに当然だけれどマオウルドットはそのままあの場所にいる。だって彼は封印されていてあの場所からほとんど動けないからね。

ふとフェリクス様の手袋の、手綱を握る手のひらの方が傷ついて少し破れていることに気がついた。ひょっとすると私が彼の剣に魔力を流す際に、ついうっかり魔力圧で手袋に傷をつけてしまったのかもしれない。

そういえばフェリクス様は私が見る限り、いつもこの手袋をはめているわね？　もしかしてとってもお気に入りなのかしら？　それならば悪いことをしてしまったかも……。

おまけにその破れているところから覗く部分に小さく傷を負っているではないか。

そんなことを考えていると、思わずその傷の部分に手が伸びていた。

しかし手を伸ばした私の指先がその手の傷に触れる前に、勢いよく振り払われてしまう。

「あ、ごめんなさい」

しまった。これくらいの傷ならすぐに治せそうだなと思ったら、無意識に触りそうになってしまったわ。

そりゃあ突然傷に触れられそうになったらびっくりしてしまうわよね。

「いや、俺の方こそすまない」

思わず振り払ってしまったことが気まずいのか、フェリクス様はどこか辛そうな顔をした。

……これ以上は余計なことをしたり言ったりしないように、大人しくして黙っていよう。

(そういえば、今更だけどフェリクス様の呪いってどんなものなんだろう？)

我ながら本当に気にするのが今更よね……あら!?　よく考えたら私ってものすごく薄情ものじゃない!?

だけど、元々はフェリクス様とこんなに関わるようになるとは思っていなかったし、予知夢のおかげで、少なくともいずれエルヴィラの力によって呪いが解けることを知っていたから、あまり気にしていなかったんだもの。

私はこっそりフェリクス様の様子をうかがってみる。

（やっぱり辛そう。というか顔が真っ青だわ！）

黙っていようと決めたばかりだったけれど、さすがに心配になった私はおそるおそる口を開いた。

「フェリクス様、ひょっとして体調が悪いですか？　顔色がよくありません。大丈夫ですか？」

「いや……いや、大丈夫だ」

うーん、全く大丈夫ではなさそうに見えるわね！

もしや、まさに今なんらかの呪いの作用が出ているなんてことはないかしら？

そう思い当たるほど尋常じゃなく顔色が悪い。

とはいえ何の脈絡もなく「そういえばフェリクス様とこのレーウェンフック領って呪いにかかってるんですよね？　どんな呪いなんですか？」と聞いてしまうのはさすがに無神経すぎるし……。

チラリと周りを見渡すと、フェリクス様を心配そうに見つめていたカイン様と目が合った。

さすが側近であり幼馴染、彼の様子がおかしいことに気づいていたらしい。

カイン様は当然呪いの詳細も知っているだろうし、私以上に心配に違いない。

そういえばカイン様は予知夢でも、エルヴィラと仲を深めていくフェリクス様のことをどこか心配そうに見守っていたわ。

そこまで考えて、またまた今更、あることに思い至った。

（エルヴィラが現れるまではまだまだ時間があるわけだけど……当然ながらその間はずっと、フェリクス様は呪いに苦しみ続けるのよね……）

それってとっても辛くて可哀想なことなんじゃないのかしら？　と。

予知夢では嫉妬と憎悪に燃えた私が闇属性魔法を暴走させたことがきっかけで、エルヴィラは力を強めて覚醒し、フェリクス様とこの地にかかった呪いを解いた。

しかし予知夢を見た上にリリーベルの記憶を取り戻した今の私は、フェリクス様とエルヴィラの邪魔をするつもりはないし、当然エルヴィラを害そうだなんて思ってもいない。

私が闇属性魔法を暴走させるというきっかけが起きないということは、つまりエルヴィラの覚醒が予知夢の時よりも遅くなる可能性が大いにあり、そうなった場合、必然的にフェリクス様が呪いに苦しむ時間も長くなるということになる。

――予知夢で引き寄せた運命は、変えることができる。

けれど、運命の中にはよほどのことがない限り変わらない部分ももちろん存在しているのだ。

運命の、鍵になっている部分が。

今回の場合、おそらく「エルヴィラが大きな力を得て聖女になること」と、「エルヴィラがフェリクス様の運命のヒロインであること」がその変わらない部分ではないかと思うのよね。

そう思うにももちろん理由があるわけだけれど、ちょっと考えることがいっぱいだから、今は置いておこう。

（……だから遅くなったとしても、いつかはエルヴィラの力で呪いを解くことができるとは思うけど。私が行動を変えたことで、フェリクス様の苦しむ時間が長くなるのはちょっと心苦しいわね）

というか――フェリクス様の呪いを解くのって、やっぱりエルヴィラじゃないといけないかしら？

　そりゃあ、運命のヒロインに解いてもらうのがドラマチックだし、運命的にも一番いいのでしょうけど。

　だけど、「呪いを解く」ということだけを考えるならば、その手段はどうでもいいような気もする。

　フェリクス様のその呪い、予知夢で見た運命で「嫌われ悪女」のポジションである私が解いちゃダメなのかしら？？？

　リリーベル時代の歴代飼い主たちが、誰かにかけられた何かしらの呪いを解いたことが何度かあった。私はそれを側で見てきているわけだから、その経験がヒントになるのではないかと思っているのよね。

　まあ当然、呪いによっては、そもそもエルヴィラの力でなくては解けない可能性もあるのだけど。

とはいえもっと早く解いてあげられる可能性があるのならば、何も試さずに放っておくのは少し薄情すぎるのでは？　と思わなくもないのだ。

　それにフェリクス様の呪いを私が解き、エルヴィラが現れた時にすぐに私が身を引けば、二人はなんの試練もなく幸せになれるはずだし、いいこと尽くめではないかしら？

　こういう時って普通、試練がなければ盛り上がらないのでは？　と不安になるところだけれど、予知夢のことを思い出す限り二人は出会ってすぐに親密な空気を醸し出していたから、何かハプニングがなければ距離が近づかない、なんてこともないと思うのよね。

（まあ何はともあれ、呪いの詳細が分かってからの話なんだけれど）

それに今はアリーチェ様とフェリクス様のなんだか微妙な雰囲気のこともどうにかしてあげたいし。

マオウルドットのせいでなんとなくうやむやになっているけれど、そもそもアリーチェ様はフェリクス様の冷たい態度に傷ついて飛び出していってしまったんだもの。

けれど、いずれフェリクス様はエルヴィラと出会い、結ばれることを考えれば、どちらかというとアリーチェ様のフェリクス様への想いに対して、背中を押すのではなく気持ちの整理をするお手伝いができた方がいいかもしれない。

（やる気はあるんだけれど、私、ずうっと猫だったたし、くっついて回った黒猫エリオットはアイドルみたいなものだったし、人間になってからもバーナード殿下には相手にされなかったし、実のところ恋愛についてはあまり経験がないのよね……）

うーんと心の中で悩んでいたものの、それは杞憂《きゆう》に終わることになる。

「ルシルお姉様！　離れの方に行きましょ？　うふふ、この私がエスコートしてあげる！」

レーウェンフックの敷地内に戻り、馬から降りた瞬間、まだ馬の上にいた私の元へ風のようにやってきたアリーチェ様は、フェリクス様そっちのけで私にべったりだったのだ。

おかげでマナーとして私のエスコートをしてくれようとしたらしいフェリクス様の差し出した手は行き場を失っていた。

「いいの。私、目が覚めたわ。フェリクスのことをずっと好きだと思っていたけれど、本当は心のどこかで気づいていたの。好きだと言いながら、フェリクスに自分の理想を押し付けていたってこと。だから、フェリクスも私のことを相手にしてくれなくなったのよね。……優しいフェリクスに、冷たい態度をとらせたのは私。今まで嫌な思いをさせてごめんなさい」

そしてアリーチェ様は、離れの応接室で一息ついたところで、そんな風に言ったのだった。

突然のアリーチェ様の謝罪に、びっくりしてしまう。

けれど彼女は本当に穏やかな顔をしていて、無理をしているわけではないのだと分かった。

狼狽《うろた》えた声を出したのは、謝罪を受けたフェリクス様ではなく、カイン様だった。

「ア、アリーチェ？　いいの？　あんなにフェリクスにこだわっていたお前が……」

「あら、何よカイン！　散々さりげなーくフェリクスを諦めるように誘導しようとしていたくせに、いざもういいって言ったらそんなことを言うわけ？」

「諦めさせようとしてたの、気づいていたのか……」

「ふん！　それに気づかないほど馬鹿じゃないわよ」

なるほど。私が知らないだけで、今までにも色々な攻防はあったらしい。

カイン様は、アリーチェ様の心が急に変わったことに戸惑っているみたいだけれど、きっとそうじゃないのよね。

気持ちは心の中でくすぶるものだから。

アリーチェ様自身も色々思うことがあった中で、マオウルドットに恐ろしい思いをさせられたことがある意味きっかけにもなって、吹っ切れたんじゃないかしら。

とはいえ、マオウルドットがアリーチェ様を怖がらせたことは許せないけど！

二人のやり取りを見ていたフェリクス様は、安堵したようにホッと小さく息をつくと、読めない表情で少しの間思案するような様子を見せ、やがて意を決したように、アリーチェ様に向かって頭を下げた。

「アリーチェ、俺もすまなかった。どんな理由であれ、恐らくもっとましなやり方があったはずだ。それなのに、俺はお前を傷つけることしかしていない」

フェリクス様の謝罪は、きっとアリーチェ様に冷たい態度をとったことに対してだろう。

謝り合ったフェリクス様とアリーチェ様は少しぎこちないながらも、お互いしっかりと目を合わせている。

小さな頃から一緒にいて、アリーチェ様を妹のように可愛がっていたというフェリクス様。カイン様は、「フェリクス様にも色々事情がある」と言っていた。

それがどんなものなのかは私にはよく分からないけれど、きっと本当はアリーチェ様に冷たい言葉なんて言いたくなかったに違いない。

そう思えるような、二人の雰囲気だった。

「はあー！　肩の荷が下りた気分だわ！　私、いつのまにか意地になっていたのね」

ニコニコ笑ってそう言ったアリーチェ様は、隣に座る私の腕にまるで猫のように自分の腕をするりと絡めると、甘えるように擦り寄ってくる。

なんてこと！　ひょっとしてアリーチェ様の前世も猫だったんじゃないかと思うほどの甘え上手

だわ！

「ありがとう、ルシルお姉様。ぜーんぶ、ルシルお姉様のおかげよ」

「え？」

「ずうっと、私を助けに来てくれるのはフェリクスだけだと思ってたの。フェリクスは特別だって。そう考えて、自分勝手な気持ちをフェリクスに押し付けて、理想のフェリクスであってほしいって、いつの間にか強要してしまっていたんだわ。そりゃあ、フェリクスも困るわよね。私、特別なフェリクスの特別になれなくちゃ、私に価値なんてなくなっちゃうと思っていたの。……でも、ルシルお姉様が真っ先に私を助けに来てくれて、それは違うんだって思えたわ」

「そんな」

自分に価値がないなんて、そんな辛い気持ちを抱えていたなんて。「私のフェリクス！」と離れに突撃してきた時には、自信に溢れたご令嬢に見えていた、アリーチェ様の意外な本音に胸が痛む。

「アリーチェは極端なんだよ。それに今までだってフェリクスだけじゃなくて俺だっていたのにさ」

「そうね。カインも、ありがとう」

「えっ」

雰囲気的に茶々を入れようとしたらしいカイン様は、予想外にお礼を言われて固まっている。

ふふふ、女性の扱いに慣れているカイン様でも、気心知れたアリーチェ様のいつもと違う態度には慌ててしまうようね！

その光景を微笑ましく思っていると、アリーチェ様はぽつりぽつりと話しはじめた。

「ルシルお姉様、聞いてくれる？　……私にはね、とても優秀な頭脳を持つ兄と、魔法の才能溢れる姉がいるの。そんなロハンス伯爵家で私だけが『普通』の人間だったから……特別を望まれるロハンス伯爵家で、居場所がなかったのよ」

私に事情を話してくれているアリーチェ様のことを見守りながら、カイン様は痛ましそうな顔をしているし、フェリクス様も硬い表情を浮かべている。

その表情を見て、きっと、家庭の問題だからこそ二人はどうにも手出しができなかったんじゃないかしらと気づいた。

話を聞いている限り、表立って大きな問題があったわけではないこともうかがえるし、確かに第三者の介入はなかなか難しそうに思う。

特に二人はアリーチェ様と幼馴染だとはいえ男性で、あまり深入りしすぎると根も葉もない噂が立つ可能性や、貴族令嬢であるアリーチェ様の醜聞になる危険性だってある。そうなると、助けるつもりでよりアリーチェ様を窮地に追い込んでしまうことにもなりかねない。

恐らく、今の話だけでは分からないようなたくさんの想いや出来事があったんだろう。

それは分かる。もちろん分かるのよ。

けれど、話を聞きながら、なんだか私はとても不思議な気持ちになってしまっていた。

「アリーチェ様のご家族は随分変わっているんですね」

「変わってる……？」

ハッ！　いけない、あまりにも不思議で、つい本音が漏れてしまったわ！

私は咄嗟に、余計なことを言ってしまった自分の口を両手で塞いだ。

いくら関係が上手くいってなさそうだとはいえ、よく知りもしない私がアリーチェ様の家族を貶《おとし》めるような発言はするのはさすがによくないわよね。

そう思って口を噤《つぐ》んだのだけれど、アリーチェ様はそんな私の手にそっと触れて、懇願するように言った。

「ルシルお姉様。どんな内容でもいいから、お姉様が思ったことを聞きたいわ」

……アリーチェ様がそう言ってくれるなら、言ってもいいのかしら。

「……だって、アリーチェ様はこんなに可愛くて素敵で魅力的なのに、一番近くにいる人がそんなことも見えなくなっているなんて、とってももったいなくて損をしているなって……ちょっと、先ほどは端的に言いすぎましたけど」

「ル、ルシルお姉様ッ！」

「わっ」

アリーチェ様は感激したように私に抱き着いてきた。いとかわゆし。やっぱり猫かもしれない。

そんな彼女を抱き留めながら、私は考える。

貴族の家には、ただ平和に平凡であることを望まない家も多い。

私の生まれたグステラノラ侯爵家だって、お父様が上昇志向で、バーナード殿下に婚約破棄を言い渡された私を当然のように切り捨てた。

冤罪だって分かっても、「殿下のお心を摑めなかった、魅力の欠片もないお前が悪い」というばかり。

私はリリーベルという、愛されて、愛されて、愛されていた自分のことを思い出したから、自分を愛さない家族の愛を欲する気持ちもすっかり忘れてしまったけれど、よく考えてみれば確かに前はそんな気持ちもあったように思うし、むしろ予知夢の私は、そんな風に愛を求める私の行きついた先だったんじゃないかとも思えるのよね。

私は思った。アリーチェ様が愛されることをきちんと知らないなら、私がアリーチェ様へのこの溢れる愛をたくさん伝えよう。

わざわざ愛を探さなくてもこんなにたくさんあるんだもの！

それに、私は愛されることも得意だけれど、愛することもとっても得意なのよね！

「それにしても、いろんなことは差し置いても、特別なことが大好きなご家族はどうしてアリーチェ様の持つ『特別』は気に入らなかったんでしょうね？」

「えっ？」

当然のことを言ったつもりだったのだけれど、アリーチェ様はどこかポカンとしている。

「ルシルお姉様……？　私の『特別』って、一体何のこと……」

「え？　だって、アリーチェ様はとっても特別じゃないですか」

アリーチェ様はなおも困惑しているようだけれど、正直私も困惑している。なんだか全然話が通じてないような。

見かねたフェリクス様が私にもっと詳しく話すように促す。

詳しくって言われても……わざわざ説明しなければならないほど、難しいことなんて何もないのだけど……。

「えっと、だって、マオウルドット……ドラゴンに、あの至近距離で正面から攻撃されかけて、『普通』の人間なら今こんな風に普通に話せているわけがないですから。普通なら一瞬で何かしらの状態異常になりますよね。例えば、失神すれば三日で目が覚めればいい方ですし」

それをいいことに、マオウルドットはよく人間に悪さをしていたんだもの。

殺しはしないけれど、人間としてはたまったものじゃない、そんな、ちょっと笑えない悪さ。

まあ、封印される直前は成長期だったのか力も強まっていて、そんなレベルの悪さじゃなかったけれど。

なんたって、まるで災害のように三つもの国をめちゃくちゃにしちゃったんだもの！

そのせいで大陸の地図が大きく変わってしまったみたいだし。このままでは世界が滅びるかもしれないと危惧されて、結局エフレンが封印することになったのだ。

本人はただじゃれるように遊んでいるつもりだったらしいけれど、被害に遭った人間側にそんな言い訳は通用しないわよね。

封印された後はたくさんお話しして、少しは人間側への配慮もできるようになったかしらと思っていたのに、まだまだ反省が足りないようだわ！

そんなマオウルドットだもの。封印がきちんと解けていなかったとはいえ、アリーチェ様が普通の人間ならとてもじゃないけれど耐えられなかったはず。

つまり、アリーチェ様は状態異常にかなりの耐性があることになる。

私は聖女クラリッサ様によく聞かされていた。

こんな風に何かにとても強い、特別な体質を持っているということは、神様に特に愛されて生まれてきたということなのだと。

「アリーチェ様は、神様にとっても愛されているんですね！　神様も愛さずにいられないアリーチェ様のことが気に入らないなんて、アリーチェ様のご家族はやっぱり変わってます！」

どうも遠慮はいらないようだったので、私は満面の笑みで言った。

けれど、私の言葉に、アリーチェ様もカイン様もフェリクス様もなぜかただただ驚いて言葉を失っていたのだった。

2章

『呪われ辺境伯』と『運命の英雄』……と、白猫？

マオウルドットとの一件から数日、ぽかぽかと日差しの暖かい離れの裏の庭園で、私はランじいと花のお世話をしていた。

「それにしても、どうして旦那様は今もまだルシーちゃんをこうして離れに押し込めたままにしとるんだかなあ」

ランじいが、思い出したようにポツリと呟く。

顔を上げてみると、とても不満そうに眉間に皺を寄せて、口をへの字にしたランじいがこちらを見ていた。

私を心配してくれてそんな顔をしているのだと分かるから、なんだか嬉しくて笑ってしまう。

「ふふふ、いいのよ、いいのよ！　フェリクス様にも色々考えがあるでしょうし。それに、私はこの離れも、ランじいとこうして花のお世話をする時間も、猫ちゃんたちとごろごろ日向ぼっこをすることもとっても気に入っているから、いきなり本邸に呼ばれても困ってしまうかもしれないわ」

まあ正直なところ、今私があげたことは万が一本邸に移っても止めるつもりが全くないので、「離れが気に入っている」ということ以外はこのままでいたい理由にはならないのだけど。

（だっていずれ、私は出て行くことになるわけだし）

それにエルヴィラも自分が婚約者になった時に、暫定的とはいえ前の婚約者が一緒に暮らしていたなんて、きっといい気はしないだろう。

さて、それはそれとして……。

しゃがんで庭園のお手入れをしていた私は、背後に視線を感じてそっと立ち上がった。

この視線、最近よく感じるのよね。そしてそれが誰のものなのかも分かっている。

私は振り向くと、視線の主が立ち去ってしまう前に大きな声で言った。

「フェリクス様ー！　私、乗馬がしたいのですが！」

建物の陰に潜んでいたフェリクス様は、肩をびくりと揺らすと、少し気まずそうな顔で姿を現した。

そう、視線をよこしていたのはフェリクス様。あれから、討伐に出ている時以外に屋敷にいると、よくこちらの様子をうかがっているのには気がついていたのよね。

「なんじゃい、旦那様、いたのか。そんなにルシーちゃんが気になるなら、素直に出てきて声でもかけりゃいいもんを……」

ランじいはフェリクス様の登場に、なにやらボソボソと独り言を呟いている。きっと陰に潜んでいたフェリクス様を不審に思っているのね！

私もそうだもの、分かるわ。

なぜ陰からこっそりこっちを見ているのか。なぜ声をかけて来ないのか。なんだかよく分からないけれど、とりあえず顔を合わせてくれないのでまともに会話をする機会がなくて、乗馬のお願いを伝えるタイミングが全然なかったのだ。

ということで、私はここぞとばかりにお願いする。

「乗馬の練習がしたいので、馬を貸していただけませんか？」

「……馬だけでいいのか？」

やった、乗馬はダメとは言われなかったわ！

正直、私の気持ちとしては一人で練習するのでもいいのだけれど、初めてはきちんと誰かの指導を受けた方がいいかしら。

そう思い、うーんと考えて、一番無難だと思われる答えを告げた。

「そうですね……では、乗馬の先生にカイン様を貸してください！」

「ダメだ」

あれっ!? フェリクス様は忙しいでしょうし、大事な馬を貸してもらうのだから、フェリクス様が信頼できる相手を先生に指名した方が許可が出やすいのではないかしらと思ったのだけど……。

まさかの即却下に目を白黒させていると、フェリクス様はふいっと目を逸らしながら言った。

「カインの手を煩わすこともない。あなたの指導は俺がする」

……なんということでしょう?

話をするのも嫌だからこうして陰からこちらを見ているのかと思っていたので、真っ先にその選択肢は排除していたのだけれど、まさかのフェリクス様が立候補してくださったわ。

そういえば、私を一緒に馬に乗せてくれた時もとっても安定感があったし、乗馬が得意なフェリクス様は教えるのにも自信があるのかもしれないわね。

本人がしてもいいと言ってくれるのなら、そのお言葉に甘えようではないか。

「では、お願いします、先生！」

こうして私はフェリクス先生に乗馬を教わることになったのだった。

フェリクス様の指導はとても丁寧で分かりやすかった。

それに、馬がとっても可愛いのだ！

私が行くと、嬉しそうに頭を振り、「ヒヒン」と鳴いて、撫でて撫でてと言わんばかりに頭を擦り付けてくる。口をもぐもぐさせたりしながら甘えてくるのだ。なんだか猫ちゃんみたいね！

おかげであっという間に基本の乗馬をマスターすることができた。

「あなたはとても筋がいいな。……俺の指導など必要なかったかと思えるほどだ」

「まあ！　そんなことはありません！　それに、もしも最初から私が上手に馬に乗れたとしても、やっぱり初心者ですから。そこにフェリクス様がいてくれるだけでもとっても助かったと思います！」

褒められたことと、思った以上に丁寧に教えてもらえたことが嬉しくて、私は笑顔で言った。

「……そうか」

変なことを言っていると思われたのか、フェリクス様はまたもやふいっと目を逸らす。

それでも私は思ったことを伝えられて満足だわ、と思ったけれど、よく見るとフェリクス様の耳がほんの少しだけ赤くなっていた。

ひょっとして、照れていただけだったのかしら？

フェリクス様は呪われ辺境伯として知られ不愛想で無表情だと言われていたけれど、意外と可愛いところがあるわよね。

そんなことを考えていると、フェリクス様が思わずと言った風に呟く。

「ここにいるだけで助かると、ルシルはそんな風に言ってくれるんだな……」

そして、しまったとばかりに顔を歪め、口元を手で覆った。

まるで言ってはいけないことを言ってしまったかのような仕草に不思議に思う。

だってそんなの、当然のことなのに。

「もちろんです！　フェリクス様がここにいてくれてよかったです。ありがとうございます！」

助かるだけじゃなくて、私は一人で練習するよりも見守ってもらえて安心できたし、お話もできて楽しかったし、馬も大好きなフェリクス様と一緒にいられて嬉しそうだったし！

お礼を言ったはずなのに、フェリクス様はなぜかどんどん暗い顔になっていく。

「……これまでのアリーチェのように、自分に価値がないと感じた時、あなたなら……ルシルならどうする？」

うーん、なんだか突然話が変わったわね。フェリクス様が真剣な顔で聞いているのだから、真剣に答えようと思うものの、これは随分難しい質問のように思う。

だって、私は飼い主たちに、散々甘やかされ教えられて自分の価値をすでに知っているのだ。そこにいるだけで、存在しているだけで、生きているだけで可愛いのだと。

これは猫であるリリーベルだからこそのように見せかけて、とても真理だと思うのよね。

「どうする、ですか……そうですね……うーん、たとえば、今、とっても可愛い猫ちゃんがそこにいるとします」

「は？」

しまった。フェリクス様は実は小動物が好きだとアリーチェ様が言っていたから、猫ちゃんの話で伝わると思ったのだけれど、さすがに唐突過ぎたかしら。

しかし、話を始めてしまったものは仕方ない。もっといいたとえ話も思いつかないし、このまま押し切るしかないわね。

「とっても可愛い猫ちゃんが、そこにいるとします」

「あ、ああ……」

「目を閉じて、目の前にいる猫ちゃんを想像してくださいね？　とってもとっても可愛い猫ちゃんです。そうですねえ、白くて艶やかな毛並みに、空のようなブルーの瞳の天使のような猫ちゃんです」

「具体的だな……？」

「その方がイメージしやすいかと思いまして」

もちろん、イメージ猫ちゃんのモデルは前世の私、リリーベルである。

「イメージできました？　フェリクス様は、その猫ちゃんを見てどんなことを思いますか？」

「……可愛らしい、とかだろうか」

「ふふん！　そうでしょう、そうでしょう！」

「……？」

おっといけない。ほぼリリーベルなイメージ猫ちゃんが褒められて、ついつい得意げになってしまったわ。

気を取り直して、言われたとおりに目を瞑っているフェリクス様を見つめる。

「フェリクス様は、その猫ちゃんのことが可愛くて、可愛くて、大好きなんです！　ではその猫ちゃんを前にして、『この猫にはどんな価値があるか』と考えたりしますか？」

「……いや、考えないな。馬ならばまだ速く走れるかどうかなど考えることもあるが、猫に現実的な価値を求めることはない」

「そうですよね。猫ちゃんは可愛いだけで大正義！　猫を嫌いな人ももちろんいますが、猫を好きな人はもはや猫というだけで可愛くて仕方なくて大好きなんです」

「そうかもしれないな」

フェリクス様はほんの少し口元を緩ませた。きっと可愛い白猫ちゃんを想像しているに違いないわね。

私はそんなフェリクス様の両手をそっと握った。フェリクス様は一瞬ピクリと指先を震わせたけれど、今日は手を振り払われることはないようだ。

その手には、いつも通り見慣れた黒い手袋がはめられている。馬上で見た破れた穴はどこにも開いていないようなので、ひょっとすると同じものをたくさん持っているのかもしれない。

それほどお気に入りならば、もしもこの人に手袋をプレゼントする時には、他のものより同じこの手袋をもう一つ贈る方が喜ばれるんじゃないかしら？

普通、すでに持っているものと全く同じものを贈ることは少ないけれど、普通かどうかよりも喜んでもらえるかどうかの方が重要だものね。

いつか、エルヴィラともしも仲良くなることができたなら、プレゼントを贈るときのアドバイスをしてあげるために覚えておこう。

そんなことを頭の中で考えながら、私は続ける。

「人間も、きっと同じですよ。その人のことを大事に思う人からすれば、その人にどんな価値があるかなんて考えもしないことなんです。だってそこにいてくれるだけで、その人にとっては価値があることなんですから」

（私だって、歴代飼い主たちに何かを求められたことなんて一度もないもの！　それでもとっても愛されていたわ）

しかし私がそう言うと、フェリクス様は驚いたように瞑っていた目を見開いて、私のことをじっと見つめた。

なんだか真剣な目をしているので、とりあえず私もその目を見つめ返してみる。

こうして見ると、フェリクス様は金色の瞳がとっても綺麗よね。きっと、一番明るく光る星が隣に並んでいたって、こっちの方が綺麗なんじゃないかしら？

そんな星のような瞳が、よく見るとゆらゆらと揺れている。

……フェリクス様はひょっとして、噂されているような人嫌いなんかではなく、人に嫌われるのが怖いから、遠ざけてしまうのではないかしら。

そしてそれは、彼がその身に受けているという、呪いのせいなのかもしれない。

それを裏付けるかのように、フェリクス様はやがてぽつりと呟いた。

「俺にも、価値があると思うか？」

「もちろんです！」

「俺は、呪われているのに？」

その目にさっきまでとは違う色が宿ったように見えた。これはひょっとすると不安の色なのかもしれない。

だけど、どうしよう。何をそんなに不安に思っているのかよく分からない。

だって、さっきも私は言ったのに。

「フェリクス様だって、そこにいるだけで価値がありますってば。それに、呪いがあろうとなかろうと、フェリクス様の存在は何も変わらないでしょう？　むしろ呪いを請け負っているのにかかわらず、いつも立派にレーウェンフックの地を守っているなんて、普通よりもずっと価値のある働きをしているということではないですか！」

フェリクス様はまるで思ってもみなかったことを言われたかのように、ハッと息をのんで固まってしまった。

もちろん、世の中には何かしらの価値がなくては愛してくれない人だっているだろう。今世の私の父もそのタイプのようだし。

だけどもう、それはどうしようもないのだ。もはや事故にあったようなもの。

それは、愛されない方の責任などでは決してないのだから。

（それに、大丈夫。どちらにせよフェリクス様には少なくとも、もうすぐ運命のヒロインであるエルヴィラが現れますから）

けれど、今はそんなことは言えないので、私は話を変えることにする。

「はい！　考えても答えが出ないことを考えるのはおしまいです！　フェリクス様、馬で競争しましょう！」

私が仕切りなおしてそう言うと、フェリクス様はぐっと唇を引き結び、俯《うつむ》いて何度かゆっくり瞬きをすると、顔を上げた。

どこか先ほどまでに比べて晴れやかに見える表情のまま、ふっと微笑む。

「……あなたは先生である俺に勝てると思っているのか？」

「ふふん！　やってみなければ分かりません！」

その後は、乗馬レッスンの一環として、少し遠くまで馬で出かけてみたりしたのだった。

フェリクス様は楽しそうにしつつも、時々何か考え込んでいるようだったけれど、何を考えていたのかはよく分からない。

だけど、考え方なんて人それぞれだから、自分の気に入る考えを見つければいいと思うのよね。

それからは、フェリクス様が遠駆けに付き合ってくれるようになった。

競争すると時々はフェリクス様に勝てるのだから、私はやっぱり乗馬の才能があるかもしれないわね。

フェリクス様やカイン様はこの辺境の地で魔物の出ない場所を把握しているらしく、そういう場所へ出かけている。

そのうち私もきちんと戦う訓練もしてみたいわね。

歴代飼い主たちがほとんどみんな戦えるタイプだったし、その魔力と知識をことごとく受け継いでいるわけだから、ひょっとして私は戦闘センスも高いかもしれないわ！

そんなふうにして、しばらくは穏やかに過ごしていたのだけれど。


ある日、フェリクス様が討伐に出た後しばらくして、なにやら本邸の方が騒がしくなった。

討伐が終わって帰ってきたにしては様子がおかしいわね……？

そう思い本邸の方を覗いてみると、どうやら誰かが怪我をしているらしく、運ばれてきた。

そしてその光景をよくよく見てみると、運んでいるのはカイン様で、運ばれているのは——フェリクス様だった。

運ばれているフェリクス様はどうも意識もないようで、ぐったりと引きずられるようにしていて。

私はびっくりして、思わず本邸に向かう彼らの方に駆け寄った。

「カイン様！　何があったんですか？」

「ルシルちゃん……」

いつもへらっと軽い雰囲気を纏っているカイン様の、まるで迷子になってしまったかのような途方に暮れた顔に、これはただごとではないのだわと理解する。

「魔物討伐で、怪我を？」

「分からない……分からないんだ。いつもより魔物が活発化していて、それでも問題なくフェリクスがそいつを討伐して。だけど、他の騎士が魔物の攻撃を受けそうになった時に、フェリクスが珍しく魔法を使ったんだ。その後その魔物を切ってしばらくすると、だんだんフェリクスの様子がおかしくなって、気を失った」

聞きながら、私はカイン様に担がれているフェリクス様の様子を、自分の目でもさっと観察する。見たところ、ひどい出血をしているわけでもないようだし、大きな怪我を負っているようにも見えない。

ただ、顔色がとても悪く、なんだか澱《よど》んだ魔力がフェリクス様からじわじわと溢れているのが気になる。

ルシルになってからは初めてだけれど、リリーベルの頃によく似た状況に陥った人を見たことがある。

「魔力枯渇の状態によく似ていますね。普通ならゆっくり休めば魔力が戻るとともに回復するはずですけど、今のフェリクス様は魔力と一緒に生命力が抜けていっているみたいに見えます。とにかく、すぐに魔力を分けてあげないと、命に関わるかもしれません」

私がそう言うと、カイン様はまるで今にも泣きだしそうな子供のように、くしゃりと顔を歪めた。

「でも、フェリクスの魔力量はかなり多いから、普通の人間が渡したって足りないかもしれない。それに呪いのせいで、フェリクスに魔力譲渡をしようとすると一気に持っていかれるんだ！　やばいと思っても、吸われる力が強くて魔力がなくなるまで自分からは離れられなくなる」

ああ〜！　もーう！　私！　どうしてさっさと「フェリクス様の呪いってどういうものなんですか？」って聞いておかなかったのかしら？

だって、こんなことになるとは思わなかったんだもの！

ううむ。呪いの作用がどんなものなのかはっきり分からないままだけれど、これが明らかに呪いのせいで起こった事態だろうということだけは分かる。

そういえば、マオウルドットの封印をしなおす際に、剣に魔力を流すのをフェリクス様は自分ではせずに、私が代わりにしたんだったわ。あの時は共同作業だわ！　と深く考えずにいたけれど。

ひょっとして、呪いの影響で、フェリクス様は魔力を使うと危険な目に遭うと自分で分かっていた？　その上で、仲間の騎士を守るために咄嗟に魔法を使ったということかしら？

いいえ、今はそんなことを考えている場合ではないわね。このままじゃあフェリクス様がどんどん危険な状態になっていくばかりだわ。

生きていればなんとかなるし、難しいことはあとでゆっくり考えましょう！

「カイン様、フェリクス様を部屋まで運んで、寝かせてあげてください。魔力は私が渡します！」

「ダメだって！　フェリクスに魔力を搾り取られて、ルシルちゃんがミイラになっちゃう！」

私はリリーベルの頃に、私を溺愛する飼い主たちに本当にたくさん魔力を分け与えられたのよ。

だって、初っ端からアリス様とずっと生きられるように長い寿命をもらったくらいだもの。

そして、そんな風に私に魔力を分けた飼い主たちが、どんな顔ぶれだったかを思い浮かべる。

大好きで、どこか変で、とってもすごい、自慢の飼い主たち。

つまり何が言いたいかと言うと、実のところ今の私はとんでもない量の魔力を持っているのだ。

それに、アリス様やクラリッサ様、エフレンなんかが特にそうだったけれど、困っている人間を助けて喜ばれている飼い主たちはいつもとっても輝いていた。

実を言うと、ちょっとだけ「いいなあ、私もあんな風にかっこつけてみたい！」と思ったこともあるのだ。

……今がその時なのではないかしら？

私はカイン様に向かって笑いかけた。ちょっとニヤッとしてしまった気もするけれど、混乱気味のカイン様には気づかれないだろうからまあいいだろう。

「ふふん！　カイン様、私を誰だと思っているの？　王子の恋人に呪いをかけたとして婚約破棄された、闇の力を持つ悪女なのよ！　……まあ、冤罪なんですけど」

それに、リリーベルの記憶を思い出してからは闇属性以外にもたくさん使えるようになっているけど。

「フェリクス様なんて、魔力枯渇でミイラになるどころか、元気になった後にダイエットに苦しむくらいに魔力でパンパンのまるっまるにしてやるわ！」

「ルシルちゃん……!!」

まあ実際に、魔力で溢れて太るなんて、そんなことが起きるのかどうか知らないけれど。やったことないし。

だけど周りにこんなに心配かけたフェリクス様相手に、本当に魔力でいっぱいにするとまるまるになるのか、実験台になってもらうのも悪くないわね。

「分かった。ありがとう……だけど、本当に無理しないように。俺も側についているから、危ないと思ったら力ずくで引き離すようにする」

カイン様はまだまだ心配そうだけれど、少しだけ落ち着きを取り戻したみたいだった。

ふと気づくと、ドヤッとかっこつけた私の周りに、いつのまにかいつも仲良くしている猫ちゃんたちが集まってきていて、にゃーごにゃーごと囃《はや》し立ててくる。

「みんな、応援ありがとう！　ますますやる気に満ちてきたわ！　さあ、いくわよ！」

「うにゃあ～ん！」

そういえば、レーウェンフックに来てすぐに離れに案内されたから、こうして本邸に入るのは実は初めてなのでは？

そんな今更なことを思いつつ、私は猫ちゃんたちを引き連れて、本邸の中へと向かったのだった。

「カイン様は、念のため少し離れていてくださいね！」

俺はルシルちゃんにそう言われて、部屋の隅でその光景を見守っていた。

……今、目の前で起きていることは、本当に現実なのだろうか。

俺は、意識を失ったフェリクスを背負ってこのレーウェンフックの屋敷に戻りながら、本当は心のどこかで……もうダメかもしれないと思っていた。

だって、そうじゃないか。

フェリクスが異常な状態に陥り、見る間に魔力を枯渇していっていることには俺もすぐに気づいた。

だけど、フェリクスには魔力を渡す術がない。

そんなことをすればたちまち渡そうとした側がミイラになって終わりだからだ。

俺が干からびてフェリクスが生き延びるならそれでも構わないけれど、俺程度の魔力じゃ全然足りなくて、フェリクスを助けられない。

悲しいとか、絶望とか、そんなのも分からないくらい、混乱して、頭が真っ白だった。

……フェリクスが死ぬ？　本当に？

俺は無力で、何もできない。

それなのに、そんな俺を笑い飛ばして、彼女――ルシルちゃんは今、フェリクスの手を握っている。

気を抜くと、人の魔力を吸い上げてしまうからと、人前では絶対に外さなくなっていた特別製の手袋を外した、フェリクスの素手をそのまま。

どうして彼女の魔力は尽きないんだろう。あの華奢《きやしや》で小柄な体に、本当にそれほど莫大な量の魔力が宿っているというのか。

いざという時は、自分がミイラになってでも彼女をフェリクスから引き離そうと待機していた俺は、完全にただただ目の前の光景に見とれるだけになっていた。

だって、そんなことができるわけないのに。一瞬でミイラのようになってしまうはずなのに。

それなのに事実として目の前の彼女は、苦痛や疲労の色などもなく、まるでぐずる子供をあやすような優しい声で、穏やかにフェリクスに声をかけ続けている。

「頑張れ、頑張れ、フェリクス様」

「にゃあーん」

「うにゃおん」

……さらに、なぜかその彼女の周りを猫たちが囲って、まるで彼女とともにフェリクスを励ますかのように鳴き声をあげている。

「負けるな、負けるな、フェリクス様」

「うみゃ！」

「なあおーん」

……逼迫《ひっぱく》した状況下、緊張感漂う場面のはずなのに、どこか力の抜けるような光景。

おまけに、よく見ると猫たちは別にフェリクスを励ましているわけではなくて、フェリクスを励ます彼女の優しい声に反応して甘えているだけのようにも見える。

異常なのはこの光景だけではない。

フェリクスの手を握り、魔力を渡している彼女の体がずっと淡い光を放っているのだ。

さらに、その光が彼女からある程度離れると小さく温かな光の玉のようになって分離し、まるでシャボン玉のようにポワポワと少しの間漂っては消えている。

猫たちもその光が気になるのか、気まぐれに手を出しては遊んでいる。

元の光の方は心地いいのか、ルシルちゃんの近くにいる子は喉をゴロゴロと鳴らしたり、気持ちよさそうに丸くなりまどろんでいたりする。

まるでおとぎ話みたいな光景だ。

大体、おかしいだろ。なんで猫たちにあんなにモテてるんだよ。

フェリクスに付き合ってこっそり離れに様子を見にいた時も、なぜか猫の山ができていると不思議に思えば、その中に埋もれるようにしてルシルちゃんが寝ていたことがあった。

なんだよあれ。猫まみれなのも意味分かんないけど、なんで高位貴族のお嬢様が外で普通に寝てるんだよ。王子の婚約者だったんだろ？　愚かで傲慢で心の醜い令嬢って噂だったじゃないか。誰だよ、そんなこと言っていたのは。

それに、ちょっと見れば全然違うってすぐに分かるのに、なんでフェリクスの大バカはそんな噂信じてたんだよ。お前が信じてるみたいだったから、俺もちょっとだけ信じちゃっただろ。

「フェリクス様、大丈夫。呪いもそのうち解けますから」

唐突にルシルちゃんが呟いた、どこか予言のようなその言葉にドキリとする。

そんな俺には気づくこともなく、ルシルちゃんはさらにフェリクスに言葉をかけ続ける。

「呪いも解けて、運命のヒロインと出会って幸せになるんです。だから、怖がらなくて大丈夫」

運命のヒロイン。

ルシルちゃんがどういうつもりでそんなことを言ったのかは分からない。

なんだかしれっとして見えたから、案外何も考えてなかったのかもしれない。

運命のヒロインと『出会って』と言っていたから、彼女は本当にフェリクスにそういう意味での興味がないんだろうなと気づく。

フェリクスのバカめ。だから言っただろ。後悔するって。さっさと起きて後悔して、死ぬほど頑張る羽目になればいいんだ。

……でも、一つだけ。

俺に言わせれば、ルシルちゃんこそが、フェリクスの運命のヒロインだ。


――しばらくそうしていると、フェリクスがゆっくりと目を開けた。

（……はは。本当に、ルシルちゃんはなんでもない顔して、フェリクスを助けちゃった）

フェリクスは自分の手を握るルシルちゃんの手を、ほんの少し、握り返して。

「ルシル。あなたの声が、ずっと聞こえていた」

掠《かす》れた声でそう言ったフェリクスを、ルシルちゃんは目を丸くして見つめる。

「あら、もう目が覚めたんですか？　なんだ、やっぱりたくさん魔力を渡したって、まるまるに太ったりはしないのね」

「……俺は鍛えているから、そう簡単には太らない」

あまりのことに、二人に聞こえないくらいの声で、思わずぼそりと呟く。

「この状況で最初にする会話がそれ？　マヌケ過ぎない？」

でもまあ、俺には分かる。フェリクスの、ルシルちゃんを見る目の奥に、今までなかった色の火がポツリと灯っていること。

違う、きっと少し前から持っていた火だ。隠していただけで。

そして、もう隠すのをやめたんだな。

「ま、最近は明らかに意識してたし、やっと自覚しはじめたってところかな？　せいぜい苦労すればいいさ」

フェリクスの手を離した彼女に、周りでくつろいでいた猫たちがいっせいに集まって甘えだした。

だから、おかしいだろ……なんでそんなに猫にモテてるんだ……馬にもめちゃくちゃ好かれてるって聞いたし。

そしてフェリクス。おまえのその羨ましそうな目は、猫に群がられているルシルちゃんに向けられているのか、ルシルちゃんに群がっている猫に向けられているのか、どっちなんだよ……。

「全く、先が思いやられるね」

俺は二人のことを見ながら、思わず微笑んでいた。


フェリクス様は予想していたよりずっと早く目を覚ました。

呪いの全容が分からないから、ひょっとして何日も魔力を渡し続けることになるかも……なんて思って覚悟していたのだけれど。結局二時間程度しか経っていない気がするわね。

(私が思っていたより全然深刻じゃなかったのかも？　命に関わるかもしれないなんて言って驚かせちゃって、カイン様に申し訳なかったわね)

それとも、思っていたより私の力がすごかったということかしら？　うふふふ！　まあ、実際にはそんなわけないだろうけれど、どうせバレないのだし、私の心の中ではそういうことにしておいてもいいわよね！

そんなことを考えていると、目が覚めてすぐで、まだぼんやりとした様子で私の手を握っていたフェリクス様が、突然ハッと息をのみ、その手を離した。

「ルシル、手が……っ」

「え？」

その声につられて自分の手を見てみると、なにやら手のひらにいくつもずたずたと傷がつき、血が滲んでいるではないか。

「あらら！　いつのまにこんな風になったのかしら？」

痛みも何も感じなかったから、全然気がつかなかったわ！

そして痛みとは怪我をしていることを自覚した途端にやってくるものなのだ。急にとっても痛い。

驚いて自分の手をまじまじと見つめていると、視界の端に見えるフェリクス様の手が震えていることに気がついた。

その震えを抑えようとしているのか、ぎゅっと手が握りこまれる。

随分強く力を入れているのか、指先が真っ白になっているほどだ。

フェリクス様はやがて、自らの罪を懺悔するかのような、苦しげな声を絞り出した。

「……すまない。俺の手を、握っていたからだ」

えっ！　どうしてそう思うのかしら。

そう不思議に思うものの、フェリクス様はなぜかそのことを確信しているらしくて、悲痛な顔で俯いてしまった。

とても鋭い私は察した。

つまり、そう、呪いのなんらかの作用で、私の手はこうなったということのようね？

けれど、呪いについて私はいまだになにがなにやら分からない状態なので、どう思えばいいのかもよく分からない。

知らないし分からないのに「これは呪いのせいだ」と落ち込まれても励ますのも難しくてちょっと困ってしまう。

もうはっきり「どんな呪いなのか全部教えてもらえます？」と聞こうとは思っているのだけど、さすがにさっきまで意識を失っていたフェリクス様には、先に休養が必要だろう。

「フェリクス様！　ほら、見てください!!」

私は手のひらをフェリクス様に見せつけるように、パッと開いて両手を向けた。

するとフェリクス様は苦しげに顔を歪めて、まるで自分の罪を突き付けられたかのようにじっと私の手を見つめた。

一瞬思わずと言った風に手を伸ばそうとして引っ込めたので、ひょっとすると手当てをしようとして、自分が触れるのはよくないと思いとどまった感じかもしれないわね。

引っ込められたその手はぎゅっと握りしめられていて、これではフェリクス様の手が傷ついてしまうのではないかしら。

どうにかしてあげたいのに、どうにもできない。そんな葛藤が見え隠れしている。

これは呪いのせいなのかもしれないけれど、決してフェリクス様のせいではないのに。

罪悪感を取り払ってあげたくて、私はすぐに続ける。

「そのまま、ちゃんと見ててくださいね？　……ほら！」

私はクラリッサ様に分けてもらった聖属性魔法をほんの少し使って、フェリクス様の目の前で、あっという間に手のひらの傷を治してみせた。

「ね！　傷は治せば治るんです！」

「あ、ああ」

フェリクス様は私が治癒魔法を使えるのが意外だったのか一瞬驚いた顔をしていたけれど、そんなことにはお構いなしで当たり前のことを勢いよく詰め寄りながら言う私に、戸惑いながらも素直に頷いた。

「綺麗さっぱりですよ！　ふふん！　すごいでしょう？　だけど、目を逸らしたままだったら、治ったことも知らないままですよ」

だからなんだというわけではないのだけど、私はくよくよするのがあまり好きじゃないから、私が怪我をしたために、フェリクス様がずっと落ち込んでしまうことになるのはとても悲しい。

それに私は、きっと手のひらが痛かったことだってすぐに忘れてしまうに違いないのだ。

それよりも、実際には大したことがなかったかもしれないとはいえ、たくさん魔力を分けてあげたんだから、謝られるくらいならありがとうって言ってほしいところよね。

そんなことを考えているうちに、私はふと気がついた。

フェリクス様は呪われているけれど、それ以上に、呪いのせいで心も呪われてしまっているみたい。

呪いのせいで、たくさん傷ついて、心が疲れてしまっているんだわ。

私はフェリクス様をぐいぐい倒して寝台の中に押し込むと、そのままお腹の辺りをぽんぽんとしてあげた。

「さあ、フェリクス様！　とにかく今はゆっくり休んでください。そして目が覚めて元気になったら、私にも呪いのことを一度きちんと教えてくださいね！」

それに、いい加減猫ちゃんたちが構ってほしくて我慢の限界を迎えているのだ。

今も足元でにゃーおにゃーおと鳴いている。

フェリクス様に魔力を分けてあげている間もずーっと、「ねえ、それ、まだかかる？」「僕もルシルと遊びたいー！」「早く～外に行こうよ～」なんて具合に、私に甘えて話しかけてきていたんだもの。

猫ちゃんは自由だ。フェリクス様も、もっと自由になればいいな。

……ついでに、全容は分からないとはいえ、フェリクス様の手をずっと握っていたことで分かったことがある。

（この呪いの感じ、なんだか、とっても似た何かを私は知っているような……うーん、なんだっけ？）


今現在、私は離れの応接室で、フェリクス様と向かい合って座っている。

フェリクス様はあのあと、熱を出して三日間ほど寝込んでしまった。

そして、やっと回復したからと、カイン様と一緒に離れにやってきてくれたのだ。

もちろん、約束通り呪いの話をしてくれるために。

「ルシル。まず、あなたを傷つけることになってしまって、本当に申し訳なかった。あれから体は何ともないのか?」

開口一番、フェリクス様はそう言って私を気遣ってくれた。死にかけて、三日も寝込んで、一番苦しい思いをしたのはどう考えたってフェリクス様の方なのに、目覚めてすぐに私の心配をしてくれていたと聞いている。本当に優しい人だわ。

「私は全く何の問題もありませんわ。ご心配ありがとうございます」

元気をアピールしながらそう言うと、フェリクス様は安心したようにホッと息をつく。

「今回のことではあなたに命を助けられた。感謝してもしきれない。本当にありがとう。それから、すぐに礼を言えなくてすまなかった」

そう言って、フェリクス様は私に頭を下げた。

「いえいえ！　元気になってよかったですね！」

私はお礼を言われたこと、少しでも助けになれたことが嬉しくて、笑顔で言った。

側に控えたカイン様も、フェリクス様と一緒に頭を下げている。

……黙っていようかと思っていたのだけど、さすがにちょっと心苦しいので、白状することにした。

「でも、命を助けただなんて、大袈裟です！　まあ私も最初は危ないかも、なんて思っちゃいましたけど、思ったよりすぐに回復しましたものね。多分、当初の見立てより症状がとっても軽かったんだと思います。不幸中の幸いでしたね！　うふふふ！」

「いやいやいやいやいや……！」

笑って誤魔化そうとした私の言葉に突っ込んだのはカイン様だった。

彼は、ぶんぶんと激しく首を左右に振りながら捲《まく》し立てる。

「間違いなく命危なかったから！　フェリクス死にかけてたから！　今生きてるのほぼ奇跡だから！」

「そ、そうですか」

こちらに向かって身を乗り出すカイン様。

そのあまりの勢いに思わずのけぞってしまった。すごい剣幕だ。

フェリクス様はそんなカイン様の後ろでもう一度深く深く頭を下げているし。どうしよう。必要以上に感謝されると、戸惑いが生まれるものだって初めて知ったわ！

う、うーん。魔力を渡した私への感謝が、カイン様やフェリクス様に事実をより重く認識させているのかしら？

これ以上否定するともっとややこしい事態になりそうだと瞬時に察した賢い私は、気を取り直して、「呪いのことを教えてください」と促す。

するとカイン様が下がり、フェリクス様が説明を始めた。

「あなたも分かったと思うが、俺の呪いはこの手で触れたものの魔力を搾り取り、そして傷つけることがある」

「はい」

「初めてその力が働いてしまったのは俺がまだ五歳の頃だった。小さく弱く、害のない魔獣を追いかけて、捕まえようとした。すると、俺がこの手で捕らえた魔獣は見る間に干からび、絶命したんだ」

「まあ……」

「可哀想だろう。魔獣は俺が好奇心で手を伸ばしたばかりに、見るも無惨な死に方をしたんだ」

フェリクス様は自嘲するように力なく笑う。

「本当に、可哀想に……」

「……」

思わずそうこぼすと、フェリクス様はぐっと息を詰まらせた。

私は痛ましい気持ちで、そんな彼を見つめる。

「五歳でそんな体験をしてしまって、小さなフェリクス様はとっても驚いて、傷ついたでしょうね。今の私がその場にいたら、抱きしめてあげられるのに」

「……は？」

「あ、つい、余計なことを言いましたわね！　ごめんなさい」

本当についロ走ってしまったのだけど、抱きしめてあげられるのに、なんて、ちょっと傲慢な考えだったわ。

私を愛する歴代の飼い主たちなら大喜びしてくれそうだけれど、フェリクス様は私に抱きしめられても困っちゃうわよね。

そう思い、これ以上この話をしないように、私はこほんと咳払いして、続きを促した。

「大人になり、一時期はどうせならばこの力で討伐対象の魔物を屠《ほふ》ろうと思い、実行したこともある。吸い取った魔力は使うことができたし、この方法は効率がいいと思っていた。しかし、しばらくするとそうして吸い尽くした魔力の量と比例するように、この地に広がる呪いが強くなっていることに気がついたんだ」

そういえば、土地も呪われていると言われていたわね。どうやらその噂は本当だったようだ。

「具体的にはどんどん土が死んでいき、魔物の発生率がどんどん上がっていった」

……ん？　魔物の発生率は分かるとして、土が死ぬって、作物なんかが育たなくなっていくってことよね？

ランじいは花を育てていたし、一緒に作っている菜園ではトマトを実らせることができるけれど……？

まあ、想像と実際の規模が違うのかもしれないし、ランじいが何かの加護を受けている可能性もあるわよね。

気になったけれど、細かいところまで今聞き始めると脱線してしまいそうなので、とりあえずそれは置いておこう。

「俺の手は、人を傷つける。この土地も、人には優しくない」

そう言ったフェリクス様の顔は、とても、とても、辛そうだった。

訓練することで、かなり強く意識していれば、ある程度呪いの力を押さえ込み、魔力を吸い上げてしまうことなく触れることもできるらしい。けれど、普通に過ごしていていつも意識していられるわけではない。

だから魔力を遮断する特注の手袋をして、うっかり素手で生き物を触ってしまうことがないように注意しているのだとか。

そこまで聞いて、疑問に思ったことを質問する。

「呪いは、フェリクス様自身には、どのような悪影響をもたらすのですか？」

なんたって呪われている本人なんですものね。

そう思ったのだけど、なぜか顔を歪ませたフェリクス様は言葉を絞り出す。

「何もない。周りを苦しめるだけで、俺自身には何もないんだ」

やはり、呪いの影響で緻密な魔力操作が必要になってきたため、最近ではできるだけ魔法を使わないようにしているのだとか。しかしそれでも魔法が使えないわけではない。

そのため今回魔力枯渇状態に陥ったのも、初めてのことだったらしい。

恐らく魔物討伐で気が昂《たかぶ》り、騎士の命の危機に興奮状態になっていたことも相まって、たまたま呪いの作用が強く出たのではないかと考えられる。

つまり、落ち着いた環境下以外で魔法さえ使わなければ、影響はないということだ。

だから自分自身がこの力で傷つくことはないのだと、まるで懺悔するようなフェリクス様。

けれど、私は心底ホッと安心していた。

「なんだ！　じゃあフェリクス様が痛かったり苦しかったりはないんですね？　よかった～！」

もちろん、心は傷ついて苦しいのだろうけれど、とにかく常に苦しめられるようなことがないなら、それに越したことはない。まさに不幸中の幸いってやつよね！

そう思って満面の笑みで言ったのだけど、ふと気づくとフェリクス様もカイン様も、目を丸くして私を見つめ、唖然としていた。


俺に呪いが発現したあの日、母は泣いて卒倒した。

元々、このレーウェンフックにかけられた呪いは、同時に二人以上に発現することはない。

発現する呪いの作用も様々で、前代と同じ呪いを持つこともあれば、初めての作用を発現することもあった。

俺は後者で、この手で触れた者の魔力を、命が尽きるまで吸い上げ続け、おまけにその相手をずたずたに傷つけるなど、これまで確認された呪いの作用の中でも類を見ないほどの悍《おぞ》ましさだった。

これまでのレーウェンフックの呪いは、俺が把握している範囲では自分に悲劇が降りかかるものが多かった。

例えば、前代の呪いは比較的軽く、『治癒魔法が効かず、傷や病を回復するには魔物の血を飲まねばならない』体になるというものだった。

他に『魔力を使う度に体が呪いに蝕まれていき、徐々に魔物化してしまう』ものや、『魔物を含む他者を傷つける度に自身の体にも傷がつく』ものなどもあったらしい。それより前は、レーウェンフックの呪いは厳重に隠されていて、記録も残っていないため正確な呪いの内容が分からない。

けれど、そのどれもがこの地そのものにかけられた呪いと繋がっていて、例えば前代は魔物の血を飲む度に土地の呪いが強くなったことが記録から読み取れる。

これは俺が呪われてしばらくして気づいた法則だ。これまで呪われた者は、自身を守るために極力呪いの作用が出ないように過ごしていたため、分からなかったのだ。

だが、これはとても厄介なことだった。

呪いを受け入れ、前向きに共存しようとすると、土地への呪いが強くなり、結局はこの地に住まう者に不利益をもたらすことになる。

まるで、呪いを持つ者を確実に苦しめるためのようだった。

それでも……それでも、苦しむのが呪われている者自身だったうちは、レーウェンフック一族はその者に同情的で、少しの恐れを抱くことはあっても、優しく守っていこうとする方針だったように思う。

変わったのは俺の呪いが、自分自身ではなく他者へ害をもたらし、命を脅かすものだと分かってからだ。

まず、最初に述べたように母が変わった。

そもそも一族の中で誰が発現してもおかしくない呪いが我が子に宿ったことに絶望し、その呪いが自分をも傷つけるかもしれないと思った時、彼女は俺を『呪いそのもの』であるかのように認識したのだ。

『人の魔力を死ぬまで吸い続ける体など、悍ましい！　いいえ、いいえ！　私の子がそのような悪魔のような力を持つ者のはずがありません！　アレは、あんな化け物は、私の子などではないわ！』

　そう言って俺を遠ざけた母は、それでも心が耐えきれず、病んでしまった。今はレーウェンフックが持つ別の離れた領地で静かに暮らしている。

　母を愛する父は、母のように俺のことを罵倒することはなかったが、俺が辺境伯として最低限どうにかやっていけるようになってすぐに母の元へ行ってしまった。

　幸い、俺にはカインがいた。

　呪いを発現する前からの幼馴染であり、親を亡くしてレーウェンフックに仕えるようになったカイン。

　初めは俺の呪いと、呪いを発現したことでおかれた環境に戸惑っていたものの、それでも俺に対しての態度が変わることはなかった。

『呪われているのは、お前のせいじゃないだろ』と言って、側にい続けてくれた。

　カインがいなければ、俺は今こうしてまともに辺境伯でいることすらできなかったかもしれない。

　最初にアリーチェに優しくしたのは、彼女もまた、自分は家族に必要とされない存在だと傷ついていたからだ。

　抱えているものは全く違うが、親近感が湧き、放っておけなかった。実の家族と家族でいられなかった分も、カインとともにアリーチェを妹のように可愛く思っていた。

しかし、アリーチェが俺を『運命の英雄』ではないかと期待の眼差しで見るようになった。

愚かな俺は、その時になって初めて自分の過ちに気づいた。

アリーチェが求めているのは、『救い』だ。しかし、俺では決してその救いを彼女にもたらすことはできない。俺は、いつかは彼女の期待を裏切ることが決まっている存在だった。

それからは、彼女と距離を置くことに決めた。これまでと変わってしまった俺の態度にアリーチェは戸惑っていたが、このまま期待させればさせるほど、残酷な結果しか招かないと分かっていたからだ。優しくして、いらぬ期待をもたせ、いつか俺の存在自体が絶望をもたらすくらいならば、ひどく悲しませるとしても今突き放し、恨まれた方がいいのではないかと、そう思ったのだ。

なぜなら、俺はアリーチェの望む英雄などではない。俺は……化け物なのだから。

使用人に恵まれたのは幸運だったと思う。

俺を人として扱ってくれることが最低条件で、主として尊重してくれることまでは期待していなかったのだから。

それでも、辺境伯としてはその人数はとても少ない。


――そんな、家族にも一族の者にも恐れられ、悍ましがられた俺の呪い。

それなのに、ルシルは切なく慈愛に満ちた顔で俺を見た。

『五歳でそんな体験をしてしまって、小さなフェリクス様はとっても驚いて、傷ついたでしょうね。今の私がその場にいたら、抱きしめてあげられるのに』

初めて魔物の魔力を干からびるまで吸い上げてしまった時、誰もがその魔物の姿に絶句し、俺を恐ろしいものを見る目で見ていた。

触れられれば自分もああなるのではないかと、誰もが距離を置いた。

素手で触れなければ大丈夫だと分かっても変わらなかった。

……母が、悍ましいと泣いて遠ざけた俺を、あなたは抱きしめてあげたいと言ってくれるのか。

これまで、呪われた者自身が苦しむばかりだった頃は同情し、優しくあった一族の者は、俺の呪いは傷つける対象が他者のみであると分かった途端、『なぜ今代は周囲に災いをもたらすばかりなのか』と疎ましがった。

俺自身が呪いの被害を受けるだけであれば、他の皆は平穏に過ごせたのに、と。

『なんだ！　じゃあフェリクス様が痛かったり苦しかったりはないんですね？　よかった〜！』

……それなのに、ルシルは明るく笑って、他者を傷つけるだけの俺を、俺が苦しまないのならよかったと言ってくれる。

おまけに、ルシルは俺の呪いのせいで、その小さく白い手をズタズタに切り裂かれたばかりだったのに。

呆然とした俺は、なんとか言葉を絞り出す。

「怖く、ないのか。あなたを傷つけた呪いなのに」

優しさで同情はしてもらえても、恐れが生まれるのは仕方がないと思っていたのに。

痛みは、記憶だ。それは心にも刻まれるが、体が無意識に覚えてしまうものでもある。

理性で同情してもらえたとしても、本能が俺を嫌うのはある種当然だと思っていたのに。

それなのにルシルはきょとんと首を傾げるのだ。

「傷は治ったでしょう？」

まるで、何を怖がるのか分からないとでも言うように。

「傷は治っても、傷を受けた痛みはなかったことにはならない。それに、少しでも無理をしているならすぐに言ってほしい。本当に魔力を俺に渡したことで体に不調はないのか？」

なおも続ける俺に、むしろ少しムッとした様子で。

「あの程度で私を怖がらせられると思っているんですか？　それほど心の弱い小心者であると？　なんて心外な！　私を怖がらせたいなら、せめてドラゴンくらい――は、怖くないか。うーん、そうだなあ、私、何が襲ってきたら怖いかしら？」

潑溂《はつらつ》とした声で言い、自分が怖いものを探しはじめるルシル。

カインは耐えきれないとばかりに声を出して大笑いした。

俺はその側で、込み上げてくる何かを必死で抑えていた。

ひょっとして、この温かな何かを、人は愛おしさと呼ぶのだろうか。


私はフェリクス様の話を聞きながら、うーん、と考える。

呪いを解くには、どんな呪いがかけられているのかを知ることが重要になる。

呪いによって、どうすれば解けるかが違ってくるのだから。だからこそ、それを紐解く「鍵」が必要なのよね。

（だけど多分、エルヴィラはそんなことはお構いなしに、聖魔法の力押しで呪いを全部吹き飛ばしたんだわ。覚醒時には莫大な量の魔力が放出されるはずだから）

さすがは、のちに聖女と呼ばれるようになる人よね。

私のクラリッサ様は同じ聖女と言ってもあまりにも規格外だったから、さすがに比べものにはならないだろうけど、クラリッサ様をのぞけば歴代でも特に力のある聖女になるんじゃないかしら？

まあ、まだ覚醒前で、全てこれからの話だけどね。

ちなみに、私にはそんな素晴らしい聖女だったクラリッサ様の魔力が宿っているとはいえ、それは私の魔力のうちの何割かの話であって、力押しで呪いを吹き飛ばすなんて真似はさすがにできないのだ。

だから、呪いを解くには呪いを知る必要がある。

そんなことをしているうちに、エルヴィラとフェリクス様が出会う時があっという間に来るかもしれないけど。

（まあ、その時はその時よね）

それに……正直言って私の中の好奇心が、この呪いのことを解き明かしたくてうずうずしているのよ！

リリーベルの頃に、ちょっとおかしくて刺激的な飼い主たちと、たくさんの楽しいことに囲まれて過ごしていたせいで、私はだいぶ好奇心旺盛な猫だった。

その好奇心が久しぶりに刺激されまくっている。

人のよくない話でこんな気分になっているのは申し訳ないけれど、役に立つために頑張るんだからちょっとワクワクするくらいはいいわよね！

そう自分に言い訳しつつ、考えを巡らせる。

フェリクス様は呪いの話をしてくれたけれど、レーウェンフックがなぜ呪われてしまったのか、その理由は分からないらしい。

呪いについて、きっとフェリクス様もフェリクス様のご先祖様も、すでにたくさん調べて、調べて、調べつくしたに違いない。

けれど、案外第三者が見れば新しい発見がある、なんてこともあるものだし。

とくに私には長い時間を生きて、歴代飼い主たちと色んな経験をしてきた記憶があるから、何かピンとくるものがあるかもしれないもの。

そして、理由が分かれば呪いを解くための鍵が見つかり、たくさんの魔力を持つ私なら、その呪いを解くことができるかもしれない。

なんでもいいから情報が欲しいという私に、フェリクス様は教えてくれた。

「呪われた理由はさっぱり分からないが、ただ、時期としては運命の英雄が現れなくなった頃ではないかと思われるんだ」

「運命の英雄が？」

よく分からないけれど、フェリクス様のご先祖様が呪いを解くヒントを探すために調べた記録が残っており、そこに運命の英雄の記述が何度も出てくるとのこと。時期が同じではないかということも、それに書かれていたらしい。

「というか、運命の英雄は現れなくなってしまったんですね？」

私は運命の英雄自体を知らなかったくらいなので、もちろんそのことも初耳だった。しかし、どうやらそれはわりと有名な話なんだとか。

とりあえず、少しでもヒントが欲しい私は、運命の英雄について調べてみることにした。


と、いうわけで。

「ルシルお姉様！　運命の英雄について知りたいんですって!?　この私に任せてちょうだい！」

「はい！　よろしくお願いします、アリーチェ先生！」

運命の英雄といえばやっぱりアリーチェ様よね！　そう思い、どうかアリーチェ様の知る内容を私に教えてほしいとお願いしてみたところ、こうしてすぐに来てくれたのだ！

調べ物と言えばここよね！　ということで、今私たちは離れの中にある図書室にいた。

「せ、先生だなんて、そんな！　ふ、ふふふふふ！　このアリーチェ先生がルシルお姉様に詳しく教えて差し上げる！」

アリーチェ様はたくさんの文献を持ってきてくださっていた。アリーチェ様の大事な『運命の英雄コレクション』の一部らしい。一部といえどもなかなかの量と種類で、本当に運命の英雄が好きなんだわと、なんだか微笑ましい気持ちになった。

　私は文献をめくりながら、その内容についてアリーチェ様から補足や説明を受けていく。

（えーっと、なになに……『運命の英雄の傍には、必ず白く尊き聖獣様が寄り添っていた』……これはアリーチェ様が言っていたわね）

「最後の運命の英雄の頃に、聖獣様はいなくなってしまったそうよ。その運命の英雄を見放したのか、聖獣様に何かが起こったのか、その辺も分かっていないの。ただ、聖獣様がいなくなった後は、新たな運命の英雄も誕生しなくなってしまったらしいわ」

　そんな話を聞きながら、ふと疑問が浮かんでくる。

「だけど、運命の英雄だと判断する理由こそ、そばに聖獣様がいることだったんですよね？　聖獣様がいないから分からないだけで、実は運命の英雄様自体はその後も存在していたのでは？」

　アリーチェ様は私のそんな質問に、うんうんと神妙な顔で頷いた。

「その可能性は否定できないわ！　実際、今も運命の英雄ではないかと言われている人はいるのよ！　もっとも、私は聖獣様がそばにいない運命の英雄なんて有り得ないと思ってる派だけどね」

「ええっ！　そうなんですか？」

「大賢者と呼ばれているエリオス様という方で、魔塔と呼ばれるとっても高い塔を建てて、そこに一人で住んでいる変わり者らしいわ。滅多に人と会おうとしないから、年齢もお姿もほとんど知られていないの」

「大賢者……そんなすごい方がいるんですね」

「というか、運命の英雄も大賢者エリオス様も結構有名なのに、ルシルお姉様は全然知らないのね？」

アリーチェ様に不思議そうに指摘されて、私も同じく不思議な気持ちになった。

確かにそうよね。どうして私はこんなに何も知らないのかしら？

そう思っていると、思わぬ声が聞こえてきた。

「ルシルは王子の婚約者だったからだろう」

「まあ、フェリクス様！」

答えてくれたのは、いつの間にか図書室に来ていたフェリクス様だった。

そのまま近づいてきたフェリクス様は、私の開いている文献を覗き込む。

運命の英雄のことをアリーチェ様に教えてもらうことは話していたから、どうやら気になって様子を見にきてくれたらしい。

「ねえフェリクス、ルシルお姉様が王子の婚約者だったからってどういう意味？」

「王家は『運命の英雄』も、『大賢者』も存在を認めない。王家にとって王家こそが唯一至高で、特別な存在でなければいけないからな」

なるほど……。それは、すごく納得できる理由だった。

長年バーナード殿下の婚約者だった私の耳には、意図的にそれらの話が入らないように操作されていたということはあるかもしれないわね。

王家を、王族だけを尊敬し、信用するように。

まあ、バーナード殿下に対しては、尊敬も信用も全くなかったわけだけれど。ふふふ！

そんなことを思いながら、また別の文献を手にとる。

（……あら？）

そこで、私はなんだか妙な違和感を抱いた。

違和感のままに、気になったその文献の中身をパラパラと確認していく。

それは歴代の運命の英雄のことを紹介した、ちょっとした人物図鑑のようなもので。簡単な絵姿や数枚の挿絵とともに、どんな人物だったかがほんの数行書かれている、簡素であまり厚みのない書物だった。

最初のページには大魔女が描かれていた。

『魔族と人間のハーフで、あらゆる魔法を高いレベルで扱うことで知られていた。特に闇魔法において彼女の右に出るものは後にも先にも存在しない。自身の出生を理由に人にも魔族にもなじめず、長い時間を孤独に生きたが、聖獣様との出会いで愛を知り、のちに大魔女として多くの人々をその類まれなる魔法の能力で救った英雄――』

……ふうん？

なんとなく、適当に数ページ進んでみる。

そのページに書かれていたのは錬金術師の男性。

『彼が他の運命の英雄と大きく違うのは、彼が平民であり、商人であったことだ。華々しい錬金術の才能に今では忘れ去られているが、その商才と人心掌握の力は人並み外れていた。本当に欲しいものがないのならば、自身が生み出すまでとして現存する魔道具や魔法薬の多くの開発を行ったことで知られていて――』

……なんだか、どこかで聞いたことがあるような話ね？

次のページには美しい大国の王女の姿が載っている。

『美貌の王女、傾国の姫として歴史上広く名を知られている王女。彼女は知る人ぞ知る歌姫だった一面を持つ。声に魔力を乗せる稀有な才能の持ち主で、その唇は時として繁栄の歌を、時として破滅の歌を紡いだという。彼女が傾国と言われるようになった所以には実はその能力が関係しているのではないかと言われていて――』

（あら？　あらあら？？？）

なんだか落ち着かなくて、パラパラとページを進める。

とあるページには勇者だった運命の英雄のことが紹介されていて、そのページの少し先に挿絵が載っていた。

聖なる剣を掲げ、大きく威圧的な黒いドラゴンと対峙《たいじ》しているイラストだ。勇者の最初のページに戻って紹介文を見てみる。『彼の一番の功績は何と言っても世界に暗雲をもたらしていた魔王の封印と――』

ちょっと待って。

私は思わず首をひねる。この書物を読んでいると、なんだかとんでもなく既視感を抱く気がするのだけれど、はて……？

他のページも見てみるけれど、どれも興味深くて面白いものの、真新しい驚きなどはないわね……。

だってどれも、なんだか妙におぼえがあるような気がすることばかりなんだもの。

難しい顔をして書物の内容と睨み合っていると、アリーチェ様がそんな私に気がついた。

「あら！　ルシルお姉様、それとっても面白いでしょう？　短くて薄い文献だけれど、主に運命の英雄のことやその功績なんかを思わせぶりに紹介する文章が気に入っているのよね。こっちと合わせて読むともっと面白いわ！」

にこにことそう言いながらアリーチェ様が差し出してきたのは、運命の英雄のイラスト集のようなものだろうか。たくさんのイラストとともに、飾り文字で華やかにしている英雄たちの名前が記載されている。

うーんと、なになに……

大魔女アリス、大聖女クラリッサ、料理するS級冒険者マシュー、世紀の錬金術師コンラッド、歌う王女ローゼリア、異世界人ヒナコ、選ばれし勇者エフレン――

……って、ちょっと待って――!!

私、これ、みんなみんなとってもよく知っているわ!?

だって全員、私のことを溺れる程愛してくれていた愛すべきリリーベルの飼い主たちじゃあないの!!

彼らがみんな、運命の英雄様だった？　そ、そんなことあるう？？？

ふと気がついて、最初の文献のエフレンの紹介ページを開いてみる。

（……この内容、挿絵。魔王って、マオウルドットのことじゃないのっ!!）

どうやら書物の中では魔王とドラゴンは別物としてそれぞれのことが書かれているみたいだけど、魔王について触れている内容は完全にマオウルドットのことだわ……。

（ええっと、あの子、魔王だったの？？？）

さらにハッとして、最初の方のページに戻る。

（待って。運命の英雄が私の愛する飼い主たちで、魔王がマオウルドットで、私はこの登場人物全員をとってもよく知っていて……だけど、そうすると、もしや）

運命の英雄のことを書いている文献にはその最初の方のページに必ず同じような内容が書かれていた。

『運命の英雄の傍には、必ず白く尊き聖獣様が寄り添っていた』って……。

アリーチェ様に初めて運命の英雄の話を聞いた時のことが頭をよぎる。

『運命の英雄には必ず聖獣様がおそばに寄り添っていらしたの！　なんでも、艶やかな真っ白の美しい毛並みに海の一番深い色のようなブルーの瞳を持ったとっても麗しい聖獣様だったそうよ！』

ひょ、ひょっとして、この運命の英雄の側に寄り添っていたって言う聖獣様って………

リリーベルのことなのでは………？？？？？

もはや、間違いないように思う。

運命の英雄の側に寄り添っていた聖獣の正体は、（恐らく）前世の私、リリーベル。

これは、衝撃の事実に気づいてしまったわ……！

私はリリーベルとしてあんなに長く生きたのに、有名な英雄様にも聖獣様にも一度も会えなかったなんてがっかり！　なんて呑気に思っていたわけだけど、それは当然よね。

だって、まさかの本人だったんだもの！

皆は自分がそんな風に英雄だなんて呼ばれていること、気づいていたのかしら？

だけど、もしも気づいていたら、ヒナコやエフレンを筆頭に、飼い主たちは大体皆、私に「褒めて褒めて！」と自慢してきそうなタイプだから、普通に知らなかったのかもしれないわね。

没後に有名になる、なんてこともよくある話だし。

というか、そもそもの話、私は飼い主たちに愛し抜かれてちょーっと長い寿命と、ちょーっと飼い主たちの能力を分けてもらっただけの、普通の白猫であり、聖獣様なんていうすごい存在ではないのだ。

まあ、とっても可愛かったから、白猫リリーベルが愛すべき尊き存在だったというのはそんなに否定しないけれど。

「ルシルお姉様？　どうかしたの？」

アリーチェ様に声をかけられて我に返る。

いけない、いけない。驚いて固まってしまっていたわ。

私はなんでもないですと微笑み、運命の英雄についての書物を読み漁った。

ちなみに文献の最後は、大体どれも『聖獣様はいなくなってしまった』といった内容で終わっている。中には最後の英雄が聖獣様の怒りを買ったのではないかと考察じみた内容を書いているものもある。

（いや違うから！　私は怒っていなくなったんじゃなくて、死んだだけだから!!）

ところで、この場合の『最後の英雄』って、いったい誰のことを指しているのかしら？

だって、私は全ての飼い主の最後を見送って来たわけでしょう？

そうすることができなかったのは、最後の飼い主であり、孤児で名前のなかった、あの魂の綺麗な男の子だけ。

だけど、私がいなくなった時はまだほんの子供だったあの子。それに、二人で過ごした時間もそこまで長くなく、一緒にいる時は小さくて暗い部屋で、寄り添って丸くなっていたことがほとんどで、ほんの何回かしか外に出たことはなく、他の皆のように一緒に旅したり、人前に出たりなんてしなかったし。もしも私が死ななかったら、あの子とも色んな所で色んな楽しいことをしたかったとは思うけどね。

だから、あの子が運命の英雄だと思われている可能性はほとんどないのではないかしら？

（ハッ！　まさか、私の知らない私の飼い主が存在している……!?）

「というわけで、マオウルドット、あなた何か知らない？」

「知らねえよ……」

マオウルドットは呆れたような顔で言う。

どうしても気になって気になって気になってたまらなくなってしまった私は、唯一私がリリーベルだった時のことを知っているマオウルドットに会いに来ていた。

ともにアリス様の魔力を強めに受け継いでいるので、闇魔法の応用でその気になれば念話で会話ができる私たち。

実はずうっと、『会いに来い』『話し相手になって』『……いつになったら来てくれるの？』と段々弱々しくなる念話を受け取っていたので、そろそろ会いに来ようと思っていたところだったのだ。

リリーベル時代もこうしてよく呼び出されていたわよね。

「いや、それより、おい、ちょっと待て、……は？」

マオウルドットは私の話をろくに聞かず、目を見開いた。

「どうしたの？」

「なんだよ、あれ」

マオウルドットの視線の先には、少し離れた場所に待機しているフェリクス様がいた。

私は一人で馬に乗ってここに来ようと思っていたのだけど、万が一魔物が出てはいけないから、と心配して一緒に付いてきてくれたのだ。うふふ！　見た目はいかにも堅物って感じで怖そうに見えるのに、意外と心配性で優しいわよね、フェリクス様って！

内緒の話――リリーベルの話をするために、こうして少し離れたところで待ってもらっているわけだけど。

「フェリクス様がどうかしたの？」

「いやいやいや！　うわ！　は？　嫌すぎるんだけど！　なんだよアイツ。すげーやだ!!」

「はあ……？」

なにがなにやら分からないけど、フェリクス様を見て急に取り乱し、みるみるうちに不機嫌になっていくマオウルドット。

一体何が気に入らないのやら……？


「いやいやいや！　うわ！　は？　嫌すぎるんだけど！　なんだよアイツ。すげーやだ!!」

オレは思わず叫んでいた。

何度も何度も念話で呼んで、やっとルシルが来たと思ったら、めちゃくちゃ嫌なもん見たからだ。

フェ、フェリクスとかいうやつから、あいつから、ルシルの魔力の匂いがするじゃないか!!

オレは震えた。驚きすぎて。ドラゴンが震えるなんて、一大事だからな？

昔はドラゴンが身じろぎすれば国が一つ滅びるなんて『コトワザ』もあったくらいだ。

リリーベルの飼い主の中でもひときわ変わり者だったヒナコが、なんかニヤニヤしながら言っていた。なんだっけ、他にも『伝説級の最強ドラゴンが、ちっちゃなリリーベルにタジタジナスガタ、トウトイ』とか言ってたよな。

ヒナコはだいぶ変なやつで、言い回しが独特すぎて何言ってんのかよく分からないことが多かったけど、つまりはオレが最強でめちゃくちゃカッコよくて、リリーベルは小さいから守ってやった方がいいってことだろう。

まあそんなことはどうでもよくて、要はそれくらいオレが驚いたってことを言いたいわけ。

そもそもルシルにはリリーベルだった頃に、あいつにベッタリだった人間たちの魔力がこれでもかと詰め込まれている。愛だよな。それくらいはドラゴンのオレにも分かる。

そして、オレはそんな人間たちに殴られたり、名前つけられたり、ぶっとばされたり、縛られたり、封印されたりしてるから、これまたその魔力をちょっとだけ持ってる。

不本意だけどな、あいつら普通じゃなかったからさ。リリーベルがそばにくっついてるから、オレも強く出られなかったところあるし。

そう、リリーベルがいなかったらこんなに大人しくしてないって。だってリリーベルは小さいからな。オレの本気の咆哮一つで、吹っ飛んじゃいそうだろ？

そんなわけだから、ルシルの魔力も、オレの魔力も、変な人間たちの魔力が混ざって、ちょっと特別な感じだったんだ。

ルシルにはいっぱい、オレにはほんのちょっとだけど、量の問題じゃない。

オレは、それが結構気に入っていた。飼い主たちがいなくなった今は、二人だけのお揃いだから。

(それなのに、フェリクスとかいうやつにも、ちょっと移ってるじゃないか……!!)

たまらなくなって、あいつからルシルの魔力を感じることを問いただすと、

「そうそう、大変だったのよ。フェリクス様がね、魔力枯渇で倒れちゃって、でも呪いのせいで他の人は魔力を渡せないみたいだったから、私が分けてあげたの」

……そう、こともなげに言った。

ルシルは、リリーベルだった時からいつもそうだ。

何かを誰かに分けること、与えることをためらわない。特別な思いとか、理由とか、使命とか、そんなのなんにもなくても軽くやってのける。

自分にとって与えられることが当然だったから、与えることへのハードルも低いんだ。

分かるけど。そういうやつだってずっと前から知ってるけど!

でも、ルシルの魔力なんて、オレだってもってないのに!!

(あいつだけ、ズルいだろ!!)

許せなくて、オレはその場に、全力でぶっ倒れた。そして、精いっぱい辛そうな声を出して猛アピールする。

「ぎゃあ! オレ、怪我しちゃった! 痛い! ルシル、大変だ、魔力くれ!!」

参考にしたのは、リリーベルの飼い主の中で一番弱虫だったコンラッドだ。あいつ、弱いから戦いたくないし、って、なんか色々すごいもん作ってたよな。人前では猫被ってたみたいだけど、リ

リーベルやオレの前ではいつだってへなちょこだった。

だから、ドラゴンのオレが恥を忍んでそんな弱虫の真似をしたのに、ルシルは不思議そうな顔をするばかり。

「ええっ？　あなた怪我なんて一瞬で治るでしょ……むしろ今のでどこを怪我したって言うのよ？」

「いや、ダメだ、痛い！」

「なんでそんな嘘つくの？？　おまけに魔力なんて、あげるどころか私があなたの魔力を欲しいくらいよ！　だってあなたの魔力ってなんだかいい匂いもするし。いつかマシューに食べさせてもらったあなたの尻尾の先も美味しかったし……」

「げ！　おい、二度とオレを食材として見るなって言っただろ！」

尻尾の先を食われた時のことは今でも時々夢に見る。一番怖かったのはやっぱりアリス様だけど、一番人でなしだったのはマシューだったと、オレは今でも思ってるからな……。

リリーベルが「美味しい！」って目を輝かせてたから、ギリギリ許してやったけどさ……。

そんなことを思い出していると、ルシルがじっとオレを見ていた。

「……そうよね、マオウルドットの魔力ってとっても強そうよね？」

「は？」

何を当然なことを。だってオレは、ドラゴンだ。誇り高きドラゴン。

「うーん、気になって来た！　マオウルドットの魔力、分けて！」

言うが早いかルシルはオレに飛びついてきて、カプリとオレに尻尾に噛みついた。

「へっ!?」

嘘だろ――!?

だから、オレを食材として見るなとあれほど……!

……いや、魔力吸ってるのか。なんだ。てかなんだこいつ。猫がじゃれつくならまだしも、人間がドラゴンに甘噛みとか聞いたことないんだけど。

ふと見ると、そんなルシルの行動に驚いて、唖然とするフェリクスが目に入った。オレは急に面白くなってきた。

(ふうん？　そんな目で見ちゃって、お前はどうせルシルに噛まれたことも、ましてや食われたこともないんだろ～!)

これはなかなか気分がいいじゃないか！　そう得意げになっていると、ルシルがちょっとうっとりと呟いた。

「マオウルドット、魔力まで美味しいのね」

「だからさ、俺は食材じゃないんだからな!」

満足して離れたルシル。……魔力がほんのちょっと、ちょびっとだけ、移っている。

オレの魔力は強いからな。なんせ、誇り高きドラゴンだ。そして強い魔力は匂いも強い。

(ルシルからオレの匂いがする……)

「え、えー？　まあ、これもそんなに悪くないっていうか。へへ！　あいつにはこれはないしな！

あいつの魔力もルシルにはないし！　まあとりあえずこれで勘弁してやるよ！」

なんだか楽しくなってきて、オレはそのままごろんごろんと転がった。

（うふふ！　うふふ！　そっか、そっか！　オレの魔力が欲しいなら、もっと早く言えよなー！）

ルシルはまたフェリクスと一緒に馬に乗って帰っていった。

普通の人間には魔力の匂いがほとんど分からないのが惜しいよな。

まあ、ちょっと可哀想だから、フェリクスはオレの子分ってことにしてやろう。それなら同じ魔力をちょっとくらい持ってること、ギリギリ許せそうだからさ。

そう、ギリギリ。本当にギリギリだけど。

その夜、オレは久しぶりにマシューに食われる夢を見た。

「だから、オレは食材じゃないんだって――!!」

3章

謎の病と『奇跡の天使』そして王都で再会です！

それにしても、さて帰りましょう、とフェリクス様の元へ戻った時の、彼の慌てぶりはとっても面白かったわね。

「ルシル!?　あなたは一体、ドラゴンに噛み付くなど何を考えて……っ」

うわずった声でそう言ったフェリクス様は、慌てて私の頬を両手で包み込むと、私に口を開かせて、口の中や歯に異常がないかを大慌てで確かめてきた。あまりの勢いに驚いたわ！

リリーベル時代にヒナコがよく『可愛い、可愛い……お口もベロも可愛いって何事……？』なんて言いながら熱心に見てきたりしていたから多少は慣れているのだけど。

普通の令嬢は口の中を確認されるなんて、そんな経験なかなかしないと思うのよね。

とりあえず、大人しくされるがままでいると、フェリクス様は急にハッと息をのみ、慌てて手を引っ込めた。

「す、すまない！」

「いいえ、いいえ～！　心配してくださってありがとうございます！　私の歯は魔石を噛み砕けるほど強くて丈夫なので、マオウルドットに噛み付いたくらいでは欠けませんから大丈夫ですよ」

そう言って、ニッとわざと歯を見せて笑ってみせる。

魔石を食べたのは前世の私なんだけど、多分今世の私も同じくらい丈夫な歯を持っているに違いない。

クラリッサ様がかけてくれた健やかに生きるための魔法が歯までも丈夫にしてくれて、今まで歯が痛くなったこともないのよね。

しかしフェリクス様はなんだかさらにおかしな顔をしてブツブツと何やら独り言を呟いていた。

「魔石を噛み砕く……?　さすがに冗談だよな?　そういえば、昔の文献で魔石を食べた者がいるという話があったな……いや、まさか。そんなのは作り話でしかないと結論が出て……」

何を言っているのかしら?

フェリクス様ったら、意外にもとっても心配性みたいだから、色んなことが気になって落ち着かないのかも知れないわね。

とりあえずフェリクス様が落ち着くのを待ちながら、昔のことを思い出す。

マシューが『魔石は食べられると思うんだよな。食べたらどうなるのか、一緒に試してみないか?』なんてワクワク顔で誘ってくるから、なんだか断るのも可哀想で付き合ってあげたのよね。

だけど魔石って、そんなに美味しくはないのよ。不味いというほどでもないけれど。

ちなみに魔石によって食べた後の効果は色々あったから、いつかフェリクス様に披露してあげるのも面白いかもしれない。フェリクス様、驚いた時の反応が大きくてとっても楽しいし。

そんなこんなでフェリクス様と馬に乗り、レーウェンフックのお屋敷に戻りながら、私は考えていた。

(結局、有益な情報は得られなかったわね)

マオウルドットは私と同じくらい何も知らなかった。

「あなた、魔王って言われてたって知ってる?」

「はあ?　オレが魔王?　オレは誇り高きドラゴンだぞ。それにどちらかと言うとアリス様の方が魔王っぽいだろ」

そんなレベルで。

まあ、マオウルドットは基本的に興味があること以外はすぐ忘れちゃうしね……。

前世の私、リリーベルが聖獣だとすれば、聖獣がいなくなったのは私が死んでしまったからで、ということは聖獣がいないのだから運命の英雄ではない、なんて思われていた人が、実は運命の英雄と言われるはずだった存在である……ということもあるのではないのかしら。なんだかややこしいけれど。

(するとやっぱり、アリーチェ様が言っていた、大賢者エリオス様って、今の運命の英雄なのでは？)

私は予知夢を見るけれど、引き寄せる未来は一番現実になる可能性が高いもの。そして、いつだって重大な出来事に関わるもの。

『予知夢はね、なんでもいい内容を見ることは絶対ないんだ。いつだって大きな運命の鍵を握っているものなのさ』

アリス様がそう教えてくれたことを思い出す。

そして、運命とは荒波のようなものだから、予知夢はたいてい悪夢になるのだと。

(それから、運命の英雄って、運命を変える力を持った英雄のこと、だったわよね？)

これはアリーチェ様が教えてくれたことだ。

だから、ひょっとして呪いを吹き飛ばすエルヴィラこそが運命の英雄なのではないかと思ったわけだけど。もしも大賢者様が運命の英雄なら、予知夢に関係する力を持つ可能性もなくはない。

そのお力を借りることができれば、呪いそのものについて、解き明かすこともできるのではないかしら？

エルヴィラはきっと呪いをそのまま消し飛ばすことができる。けれど、呪いなんてものはそもそも元を断ち切り解いてやるのが一番いいと、私は思うのだ。

色々と考えながら馬に乗っていると、ふと、道端に咲く植物に妙に目が引かれた。

（あら？　あれはもしや……）

「フェリクス様！　ちょっと止めてください！」

「どうした？」

馬を止めてもらい、慌てて降りると、私は道の脇に沢山の植物が咲いている方へと駆け寄っていく。

そこにはハートのような形をした、艶やかな葉がたくさん生えていた。

その特徴をよく観察してみる。

その確認が終わると、私は続いて馬を降りたフェリクス様に向かっておおはしゃぎで報告した。

「やっぱり！　フェリクス様、これはラズ草と言って、とっても強い毒があるんです！」

「強い毒だと？」

嬉しくなって葉を摘もうと手を伸ばすと、またもや慌てたフェリクス様がすっ飛んできた。

「ルシル！　これには強い毒があるのだと今あなたが言ったんだろう！　何をしているんだ！」

私はその顔を見て驚いた。

「まあ！　フェリクス様、顔色が真っ青です！　大丈夫ですか？　でも、安心してください！　このラズ草を飲めば一発ですから！」

「あ、あなたは俺を殺そうと……!?」

フェリクス様は驚愕の表情でわなわなと震える。はて？　どうしてそんな考えになるのかしら？

そこまで考えて、私は自分のミスに気がついた。

「ああ！　すみません、私が毒を飲ませようとしていると勘違いしたんですね!?　まさか、そんなはずないですよ！」

「で、では、一体……？」

「強い毒は、ほとんどの場合でとても効果の強い薬になりますからね！　フェリクス様ももちろんご存知でしょうけど。もしかして、ラズ草のことは知りませんでしたか？　ちょっと珍しいですもんね。これは、とっても優れた万能薬になるんですよ！」

病気も怪我も、なんでも治る！　万能薬はあればあるほどいいものね。たくさん摘んでいって、帰って作ろう！

「いや、そんなことを知っているわけが……むしろどうしてあなたは、そんなになんでも知っているんだ……」

呆然とそんなことを呟いていたフェリクス様には全く気づかずに、私は夢中でラズ草を摘んだのだった。

ラズ草を両手いっぱいに抱えた私は満足してフェリクス様に向き直る。

「フェリクス様、お願いがあります！」

「なんだ？」

「私の趣味の一つは薬を作ることでして。レーウェンフックの離れでも薬を作りたいのですが、もしよければ道具を買いに行ってもよろしいでしょうか？」

離れにはとっても快適に過ごせるほどふんだんに高価な魔道具が使われているとはいえ、さすがに薬を作るような道具はなかったと記憶している。きっと、本邸にもないいんじゃないのかしら。薬を作る道具なんて、使う人でなくちゃ持っていないものね。

私は身一つでやってきたうえに、実際に薬作りが趣味だったことはまだないので、もちろん道具を持参しているなんてこともない。

だけど、前世で商人であり錬金術師でもあったコンラッドが薬を作るのを見ていて、「面白そう！　いつかやってみたいわ！」と思っていたのよ！

本当は、きっと専用の道具じゃなくても代用できるものがほとんどだと思うのだけど、初めて薬を作るんだから、最初はきちんとした道具と手順でやってみる方がいいに決まっている。

フェリクス様は「あなたは料理だけではなく、薬も作るのか」と少し驚いて目を丸くしていたけれど、すぐに頷いてくれた。

「まだ日は高いし、それならこれから街の方に行ってみるか？」

「いいんですか？　是非！」

「それなら、一度その、あなたが抱えている大量の草を――」

フェリクス様の言葉を聞きながら納得する。

ああ、確かに、このラズ草を手に持ったままじゃあ街には行けないわよね。

そう思って、私は得意の闇魔法の応用で、空間を開いて場所を作り、そこにぽいっとラズ草を放り込んだ。

「は……？」

「これでよし！　フェリクス様、さっそく行きましょう！」

「いやいや、待て待て待て……」

「どうかしましたか？」

なぜかフェリクス様は額に手を当てて俯きながら唸っている。さっきも顔色が悪かったし、やっぱり体調がよくないんじゃないのかしら？

そう心配していると、フェリクス様は大きく深呼吸をした。息苦しいのかもしれない。

「今のは、なんだったんだ？　あなたは今何をして、どこにさっきまで持っていた大量の草を隠した？」

隠したんじゃなくて、収納しただけなんだけど……。

でも、初めて見たんだったらびっくりするのも無理はないのかしら？　そう思って、私はもう一度空間を開いて見せる。

「闇魔法の応用です！　ここにこうして空間を作って、物を収納したりできるんですよ！　とっても便利で気に入ってます」

「……………」

あら？　反応がないわ。なじみがなくて分かりにくかったかしら？

「マジックバッグなんかは、そういう魔法をバッグの中に入れ込んだ魔法道具ですよね。レーウェンフックの離れにもそれらしいものがありましたけど……」

そういえば、マジックバッグもコンラッドが開発したものだったりするのよね。

あの人、私が猫でありながら多少の闇魔法を使えたものだから、『リリーベルに頼めば、怖い闇魔法使いに会いに行かなくてもすむじゃないか！』と目を輝かせて喜んでいたっけ。

コンラッドは商人のくせに怖がりで、下手すれば商談相手にも怯える弱虫だったものね……。

まあ、そんな彼も人前ではきちんと取繕っていたから、生ぬるい目で見守ってあげていたわけだけど。

ちなみに、今では稀有な存在だと言われる闇魔法使いと光魔法使いだけど、昔はもっと人数がいたように思う。

そんなことを思い出していると、フェリクス様がなんだか脱力したような様子で教えてくれた。

「……あれは、特別な物だ。空間魔法など使える者のほとんどいない高度な魔法で、マジックバッグも現存している物が全ての、高級品だぞ」

「えっ！　そうなんですか？」

確かに、今世でマジックバッグの話を聞いたことはない。

だけど、見た目は普通のカバンだから言わなければ分からないし、言えば盗難の恐れがあるから普通はよほど親しい間柄でなければ、そうだとは言わないだろうし。

王子の婚約者であり、実家のグステラノラ侯爵家に住んでいた頃は、常に付き人もついていて、自分で荷物を持つこともなかったので、そういう物があったとしても使う機会はなかったこともあり、そのことに疑問を持つこともなかったのだ。

リリーベルの記憶を思い出すまでマジックバッグのことを知らなかったのは、それまでのルシルが閉鎖的な環境で生きてきた、かなりの世間知らずだったせいだと思い込んでいたわ！

「俺は、一度屋敷に戻るかと言おうと思っていたのに、あなたは本当に……いや、もう今更だな。それじゃあ、このまま行けるな？」

「はい！」

よく考えたら、レーウェンフックに来て、屋敷の敷地内とマオウルドットのいる森以外に行くのは初めてよね！

さらに言えば王子の婚約者だった頃も、気軽に出かけるなんてできなかったものだから、もちろん王都の街にもほとんど行ったことはない。

リリーベルだった頃、私は人がたくさんいる街中を歩くのがとっても好きだった。

だって、みんなリリーベルを「可愛い！　可愛い！」とたくさん褒めてくれたから！

私は前世ぶりに街に出かけられることが嬉しくて、ワクワクしながらフェリクス様とともに馬に乗ったのだった。

屋敷から少し離れているレーウェンフックの街中は、思っていたより活気があるところだった。

「わあ！　この辺りにはお店がたくさんあるんですねえ」

フェリクス様が忙しいようなら一人で来てもいいかなと思っていたのだけれど、これだけ広いとお店を探すのも大変だったかもしれない。今日、フェリクス様にそのまま一緒に来てもらえて、結果的によかったわね、なんて思う。

「ルシル、どこへ案内すればいい？」

「ええっと、とりあえずこの街に薬草店があるなら、きっとそこに道具も置いてあるのではないかと思います」

薬には色々な作り方をするものがあって、その分道具も豊富だ。全ての道具を揃えようとすればとんでもない量と金額になるはずなので、とりあえずは最低限、このラズ草を使った万能薬を作れるだけのものがあればいいわよね。

そう思いながら必要なものを思い浮かべていると、目の前に黒い手袋をはめた手が差し出された。

ふと見上げると、フェリクス様が真顔で私の方を見ている。これはエスコートをしてくれるってことなのかしら？

恐る恐る手を差し出すと、その指先をきゅっと握られた。あまりにも遠慮がちなエスコートに思わず心の中で笑ってしまう。

「何を笑っているんだ？　ほら、行くぞ」

おっといけない。どうやら心の中だけではなく、顔も笑ってしまったらしい。

こぢんまりとした薬草店に入ると、私と同年代くらいの若い女の子が店番に立っていた。

「いらっしゃいませ～……え!?」

女の子はフェリクス様を見た途端、驚きの声をあげ、慌てて手で口を覆った。

この反応を見るに、彼が領主であるレーウェンフック辺境伯だと知っているらしい。

（まあ、突然領主がお店に来れば、それは驚くに決まっているわよね。フェリクス様、薬草店とは縁遠そうだし）

そして、そんな縁遠そうな薬草店の店番の子にまで顔を知られているなんて、きっと普段から街の様子を気にかけて、よく見に来ているに違いないわと、なんだか誇らしい気持ちになる。

私がこっそりニマニマしていると、女の子の声で来客に気がついたのか、店の奥から腰の曲がったおばあさんがゆっくりと出てきた。

おばあさんもまた、フェリクス様を見て目を丸くしている。

しかし、その驚きの目はなぜかフェリクス様と交互に私のことも見ているような？

「おやまあ！　領主様がこんな綺麗な子を連れてくるなんて、驚いたねぇ」

「ちょっと、ばあちゃん！」

おばあさんの言葉に店番の女の子は顔を青くして慌てている。きっとこの子はお孫さんなのね。

おばあさんの言葉は、話しかけたというよりは思わず呟いたといった風だったけれど、私はニコと笑って返事をした。

「まあ！　綺麗だなんて、ありがとうございます！　フェリクス様——領主様が突然やってくるなんて、驚きましたよね。私が急に街に来たいと言い出してしまったんですけど、領主様は快くその我儘《わがまま》を聞いてくれたんですよ！　うふふ！」

私は褒められたことが嬉しくて、つい饒舌になってしまう。

ついでに言うと、フェリクス様が私のお願いをすぐに聞いてくれたのもとっても嬉しかったから、さりげなく自慢したかったのだ。

私は笑って隣に立つフェリクス様を見上げる。

すると、なんとも感情の読めない表情をしたフェリクス様もこちらを見ていた。

「領主様が……我儘を聞いて……」

そして、なぜか女の子はポカンとしていたけれど、よっぽどフェリクス様に驚いたのかしら？


薬草店でいくつか欲しかった道具を購入して、街の通りの方に戻る。

「フェリクス様、道具を買ってもらってしまってごめんなさい」

そう、うっかりしていたけれど、私はお金を全く持っていなかったのだ。そのことに気づいて「しまった！」と思い、今日のところは何かを買うのは諦めようと思って店を出たのだけれど、なんとそんな私をよそに、いつの間にかフェリクス様が支払いをすませてくれていた。

なんてスマートなのかしら！

言い訳をするならば、私はずっと猫だったから、買い物をするのはいつだって飼い主たちで、お金なんて払ったことはなかったし。人間になってからも、侯爵家では商人が屋敷まで品物を持ってくることばかりで、街で自分で何かを買う機会なんてなかったし……。

今後はこういうことにも慣れていかなくてはいけないわよね！

そう意気込みながらも、そういえば私は現状一文無しなわけだけれど、どうやってお金を稼ごうかしらと考えていた。

「いや……ルシルは俺の婚約者だからな。これくらいのことは当然だ」

ぷいっとそっぽを向きながらそう言ったフェリクス様。その耳が少し赤くなっているから、どうやら照れているらしい。

（やっぱり、フェリクス様って結構優しいわよね！）

婚約者と言っても、私はなんともおかしな理由で押し付けられた、ただの暫定婚約者なのに。

予知夢での私はとっても嫌われていたから優しくはしてもらえなかったけれど、そうでなければこんな不本意な婚約者相手であっても、この人は優しいのだわ。

予知夢とは違って友達になれて本当によかったわよね。

そんなことを考えながら二人で歩いていると、どこからか走ってきた男の子が、後ろからドン！と勢いよくフェリクス様の足元にぶつかってしまった。

「！」

フェリクス様はどうやらとても驚いたようで、男の子の方に振り向いたままの体勢で固まってしまった。

大丈夫かしらとフェリクス様の顔を覗き込んでみると、カッと目を見開いで、口元はぎゅっと引き結んでいる。どうやら呼吸も止まっているようだ。

（ふ、ふふふ！　なんて顔をしているの！　やっぱりフェリクス様ってば、驚いた時の反応が大きくてとっても楽しいわ！）

そう思って笑いを堪えている私とは反対に、ぶつかって尻餅をついてしまった男の子は、フェリクス様と目が合うとみるみるうちに泣き出してしまった。

「う、うわあああああん!!」

「あらら」

いけない、いけない。笑っている場合じゃなかったわね。

私は慌てて男の子に駆け寄り、抱き起こしてあげる。

見たところ、どこも怪我はしていないみたいだけれど、見えないところを痛めてしまったのかしら？

「どうしたの？　どこか痛い？」

「か、顔がごわい〜〜〜!!」

「そう、転んでしまって、びっくりしちゃったのね！」

うんうんと頷きながら、男の子の手を握る。

「いや、ルシル、そうではないと思うが……」

驚きからやっと解放されたらしいフェリクス様が、後ろからおずおずと声をかけてきたけれど、とりあえず今は男の子のことを優先する。

「大丈夫よ、お母さんはどこにいるのかな？」

「お、おがあざ――ん!! どこおー!!」

どうやら、走りまわっているうちにいつの間にか迷子になっていて、しかも男の子自身そのことにたった今気がついたらしい。

「うっ、ぐずっ、おがあざんっ」

「そっかそっか。それじゃあ、一緒にお母さんを探そうか。……フェリクス様！」

「あ、ああ」

フェリクス様を呼ぶと、彼は控えめに近づいてきた。

私は男の子を抱っこすると、フェリクス様にお願いをする。

「フェリクス様、この子を肩車してあげてください！」

「「えっ!?」」

男の子とフェリクス様の声が重なった。

だって、顔が怖いなら、顔を見なければいいのでは？

それに、高いところからの方がきっとお母さんも見つかりやすいはずだわ！

驚いて固まった男の子と、驚いて固まったフェリクス様。

その二人ともがどちらも我に返る前に、私はささっと男の子をフェリクス様の肩に乗せて固定した。

二人はまだどちらも目を丸くしているし、その口は少し開いている。なんだかそっくりな反応だわ！

男の子は驚きのあまり涙も止まったみたいだし、少しして我に返ると、そのいつもとは違う目線の高さに少しずつ目をキラキラさせ始めた。

「たかあ～い」

「うんうん、とっても高いねえ」

ニコニコ笑う私に、少し脱力気味のフェリクス様。

「ルシル、あなたは意外と適当で、そしてとても大胆だよな……」

うーん、そうかしら？　そんなつもりはないのだけど、そう見えているのなら、そうなのかもしれないわね。

男の子の好奇心は、フェリクス様の緊張を一瞬で解いた。もっと言うと、フェリクス様は否が応でも緊張を解かざるを得なかったわけだけど。

「たかあ～い！　すごお～い！」

「あ、おい、こら、あっ、暴れるな……！」

男の子はフェリクス様に慣れてくると、背の高いフェリクス様の肩車にとても喜びはしゃいで、よく動き始めたのだ。フェリクス様ははじめ、そんな男の子をこわごわ肩に乗せていたのだけど、そうなってくると「落としてはいけない！」と、自然とどんどん遠慮もなくなっていって。

「るちるはふぇりくちゅのなの？」

打ち解けてくると、男の子はフェリクス様に、そんなことを聞いてきた。

うふふ、まだ舌足らずで『ルシル』も『フェリクス』も言えないのね。可愛いわ！

そして、『ふぇりくちゅのなの？』っていうのはきっと、私がフェリクス様のものなのか？　って聞いているのよね？

多分意味も分からず聞いているのだろうと思うから、フェリクス様は一体なんと答えるのかしらと興味が湧く。

「…………いや、俺とルシルは婚約者だが、ルシルが俺のものということはない」

フェリクス様が一瞬言葉に詰まりながらも大真面目に返答すると、男の子は嬉しそうに続ける。

「るちるはふぇりくちゅのじゃないの？　じゃあ、僕がるちると結婚ちてもいい？」

「まあ！」「なっ！」

私はあまりの可愛さに思わず声を上げてしまったのだけれど、同時にフェリクス様も驚きの声を上げた。

「…………すまないが、ルシルはやれない。俺のものではないが、それでもダメだ」

フェリクス様はそう言いながら、なぜか右手で私の手を握ってきた。どうしたのかしら？

ちなみに左手はしっかり男の子を支えている。

「ええ〜〜！　ふぇりくちゅのけち！」

「けっ……!?　それでもダメだ！　それにルシルはものじゃないからな」

「けち！」

「……口が悪いな」

男の子に対してなぜか少しムキになっているフェリクス様と、すっかり怯えがなくなって甘えるように駄々をこねている男の子のやり取りが可愛くて、私はもう笑いが止まらなくなってしまった。

……実は男の子を肩車して、最初、私は街の人たちの会話に困惑していたのだ。

「ひっ、あれは領主様!?　男の子を攫っているわ……！」

「きっと怒りを買ってしまったに違いない……可哀想だがあの子はもう……」

「あああ、あの子の母親は、一体何をしていたんだいっ……！」

きっと、高い位置からの方がお母さんも早く見つかるだろう、これは名案だわ！　とばかりにフェリクス様に男の子を肩車してもらった私の耳には、そんな言葉ばかりが聞こえてきたからだ。

(ええっと、全部聞こえているし、随分な言われようだし、全くの誤解なのだけど……)

フェリクス様はそんな風に言われて大丈夫かしら？　と心配になってその表情をうかがってみると、男の子の相手に必死でそんな周りの声は全く聞こえていない様子だった。

そのことに少しホッとしながらも考えていた。

(ひょっとして、フェリクス様は領民にあまり好かれていないの？　それにしても一体この空気はどうしたものかしら)

しかし、私がそんなことを思っている間に、自然と周囲の反応が変わっていったのだ。

「いや、よく見てみろ。あれ、領主様が男の子に振り回されていないか？」

「そんなまさか……んんっ？　確かに、妙に慌てているような……」

「あんなに男の子が遠慮なく暴れていて……それを怒りもせず、優しく宥めているように見える」

「領主様は、血も涙もない怖い方じゃなかったのか？」

そんな人々の顔に浮かぶ感情が、怯えや恐怖から、驚き、戸惑い、安堵、今までの自分が抱いていた気持ちへの疑問などなどに変わっていったのがよく分かった。

私はなんだか嬉しくなって、心の中で胸を張る。

(ふふん！　そうでしょう、そうでしょう！　フェリクス様はね、こう見えて結構優しくて、なんだかびっくりしちゃうほど心配性なのよ！)

そして、なるほどと納得した。

(フェリクス様は好かれていないんじゃなくて、きっと、どんな人なのかを知ってもらえる機会がなかったのね)

噂が先行しているうちに、どんどん恐れられるようになってしまったのだろう。男の子にも「顔が怖い」なんて言われちゃっていたものね。

そんな風にして周囲の困惑や驚きとともに街を歩いていると、男の子のお母さんはすぐに見つかった。

「ダリオ！　ああっ、あなた……ひっ！」

男の子を見つけ、涙目で慌てて人混みから飛び出してきた母親らしき女性は、自分の息子を連れているのが領主であるフェリクス様だと気がつき小さな悲鳴をあげた。

けれど、お母さんを見つけた男の子は、今まで以上に大はしゃぎして、大声で嬉しそうにキャーキャーと叫んだ。

「ああー！　おかあさあああん！　ふぇりくちゅ！　おかあさん！　ふぇりくちゅ～～～っおがあざんだっっ‼」

ふふふ！　興奮しすぎて、もはやお母さんを呼んでいるのかフェリクス様を呼んでいるのか分からないわね！

というか、顔が怖いと号泣された数分後にはこれだけ懐かれているって、もはや才能では？？？

当のフェリクス様自身はいまだに少し男の子の勢いに押されている風だけれど、どことなく口元が緩んでいて嬉しそうに見える。

「あ、ありがとうございました……」

「いや、問題ない」

おずおずと頭を下げる母親に、男の子――ダリオくんを渡しながら淡々と答えるフェリクス様。

そんな二人を交互に見上げながら、ダリオくんは楽しかったことを目一杯伝えようとしているようで。

「おかあさん！　ふぇりくちゅ、おっきいんだよー！」

「こらっ、ダリオっ、領主様をそんな風に呼ぶなんて……っ」

「いや、問題ない」

フェリクス様はさっきと全く同じセリフを淡々と答えると、ダリオくんに向かってニヤリと笑いかけた。

「友達になったからな」

「うん！　ともだちー！」

ダリオくんの声が大きかったものだから、人目をとってても引いていて。みんなが見守る中繰り広げられたそんな光景に、お母さんも周りの人たちも、すごく驚いているようだった。

「あ、あの恐ろしい領主様が、小さな子供と、友達……」

「いいえ、よく見て。今のあの方を見れば、とても恐ろしい方だなんて思えないわ……」

ダリオくんと別れた後、フェリクス様はしみじみと呟いた。

「子供は、あんなに温かいんだな」

「体温が高いですからねえ」

「ふっ、ああ、そうだな」

もちろん、もっといろんな気持ちを抱えて出た言葉だとよく分かっていたけれど、あえて掘り下げることはしなかった。

フェリクス様はいつも黒い手袋をはめている。それは今日も同じ。呪いの話を聞いた時に、この手袋は特別製で、人に素手で触れてしまわないように常にはめているのだと教えてくれた。

エスコートしてもらうときや馬に乗っている時にその手に触れるから、その手袋が人の体温まで伝わらないようにしてしまっていることは分かっている。きっと、肩車をして、小さな体でしがみつかれて、とっても温かかったのね。

しかし、平和に街中を歩いていられたのはそこまでだった。

どこからか、怒鳴り声が聞こえてくる。

私とフェリクス様はそれに気づいて目を見合わせると、声の方に向かってみることにした。

声の方にたどり着くと、広場で一人のふくよかな年配の男性が、怯えて縮こまるお爺さんに向かって大声でわめいていた。

「おい！　私を誰だと思っている！　呪われた地に住む忌々しい平民風情がっ!!」

「ひっ、ひい……」

隣に立つフェリクス様の空気が一気に変わったのが分かった。

(というか、あの男って……)

フェリクス様はすぐに男の方へと進み出る。

「我がレーウェンフックの地で何か問題でもあったか」

「おお！　これはこれは……かの有名なレーウェンフック辺境伯殿ではないか」

ニヤニヤしながら、含みのある言い方をする男はとっても感じが悪い。

うーん、やっぱりこの男、よく見たことがあるわ。

バーナード殿下にいつもくっついて回っては機嫌を取ってばかりいた、カネリオン子爵じゃないの！

一体何をしにここに来たのかしら？

カネリオン子爵はふいに私に気づいて目を向けると、とても嬉しそうに、だらしないほどに顔を緩める。

「おや、レーウェンフック辺境伯殿……あなたはバーナード殿下のおさがりを与えられたというのに、もう別の女性を連れているのか？　ははは！　まああの醜く性悪で傲慢なルシル・グステラノラ侯爵令嬢が相手では、そのような麗しい女性に目移りするのも仕方ないだろうが。それにしても、いささか早すぎるのではないかね？　それもこのように堂々と連れて歩くのはどうかと思うが」

（…………んんっ？？？）

——おさがり……別の女性……。

私は心の中で首を傾げる。

カネリオン子爵は何を勘違いしているのかしら⁇

とりあえず何から突っ込むべきかしら？　と迷っていると、先にフェリクス様が口を開いた。となんでもなく低い声で、カネリオン子爵を威圧する。

「おさがりなどと。彼女はそんな侮辱を受けていい女性ではない」

うーん、なるほど！　そこからにしたのね！

まず出た言葉が私への侮辱を咎める内容で、少し嬉しい。

けれど、そんなフェリクス様に対して、カネリオン子爵は心の底からおかしいのだ、と言わんばかりに目じりを下げてにんまりと笑みを作る。

「なに、ここには本人がいないのだから、そう取繕うこともない。それに別の女性を連れていながら、そんな風にあの女を庇うようなことを言っても、なんの説得力もないですな！　口だけならなんとでも言えるでしょう。……それにしても、ルシル・グステラノラとは似ても似つかぬタイプの女が好みだったとは。これはさぞ、あの恐ろしい女は怒り狂っていることでしょうな。目に浮かぶようだ」

……そうだったわ。このカネリオン子爵って、バーナード殿下を褒めたたえている時と、バーナード殿下の気に入らない相手をこき下ろすときだけ、とっても饒舌になるのよね。

そして殿下と同じく、私が黒魔法で呪いをかけることができると思い込んでいたから、怖がって私の前で直接何かを言ってくることはなかったけれど、隠れて散々好き勝手侮辱してくれていたこと、知っているのよね。

それにしても、ひょっとしてわざと言っているのかと思っていたけれど、本気で私がルシル本人だと気づいていないのかしら？　そんなことってある？

信じられなくて、私は一歩、カネリオン子爵に近づいてみた。その目をじっと見つめる。

なぜかカネリオン子爵は顔をほんのり赤く染め、少し動揺しているようだった。

なんだか見つめ合うような形になっていると、さっと大きな背中が私の視界を遮った。

フェリクス様がまるで私を庇うかのように私を背に隠したのだ。

「ほ、ほほ！　さすが、婚約者のいる辺境伯がわざわざ側に置くだけあって、なんとも可愛らしい人のようだが、私にもそのように熱心な視線を送ってくるなど、いささか見境がないのではないか？」

そして、カネリオン子爵はやっぱり本気で気づいていないようだ。

……確かに、王都にいて王子の婚約者だった頃は、専属侍女のレイシアの助けを借りて、バーナード殿下の好みに少しでも近づけるよう、お絵描きレベルの化粧をしていたし、格好や姿勢もなんとかグラマラスに見せようと工夫していたけれど。

（それにしても、こんなに本人だと分からないくらい、別人に見えるのかしら？）

思わず頬に手を当てて考える。……いやいや、フェリクス様はちゃんと私だって分かっていたし、やっぱりカネリオン子爵がおかしいのでは？

そういえば、この人は陰で悪口を言うばかりで、私を怖がっていたから、直接顔をしっかり見て話すようなことはなかった気がするわね？

すると、実は私の顔なんてまともに覚えていないということなのかしら？

そう思い至り、さすがに呆れた気持ちになる。さっき、私のことを醜いとも言っていたけれど、つまり顔もまともに覚えていない相手のことをここまでこき下ろしているということよね。

とにかく悪く言えればなんでもいいということらしい。

「大体、あのルシル・グステラノラは何一つ殿下にふさわしくない、容姿も下品で、醜く、中身も愚かな女だったにもかかわらず、殿下の愛する、美しいミーナ嬢に対して散々な嫌がらせを――」

……うーん、私に向かって私の悪口を言う、なんともおかしな状況ができ上がっているわ。「本人なんですけど」と教えてあげたいところだけれど、あまりにもずっと喋っているからなかなか口を挟むタイミングがない。

別に、この人になんと言われても全く気にならないのだけど、このままだと周囲で一緒に聞いている領民たちの中で、私のイメージがすごく悪くなっていくんじゃないのかしら。どうしよう。

「カネリオン子爵。いい加減その口を閉じた方がいい」

「ひっ……!?」

子爵はなおも嬉しそうに私の悪口を続けようとしていたけれど、地の底から湧き上がるようなフェリクス様の低い声に遮られた。

フェリクス様もカネリオン子爵には思うところがあるみたいで、そのまま嫌悪と殺気を漂わせる。

そんな彼の空気に圧倒されたらしいカネリオン子爵は、顔を青くして後ずさった。

「と、とにかく、このことはバーナード殿下にもお知らせしておこう。ルシル・グステラノラはどうやらこの呪われた地でも随分惨めな扱いを受けているようだと!!」

「いえ、あの、そもそもルシルは私で……」

ずっと否定する隙を探していたのだけれど、こうなったらそろそろ無理にでも口を挟んだ方がいいわよね?

そう思って名乗りを上げようとしたのだけど、カネリオン子爵が逃げ出す方が早かった。

「ゴ、ゴホッゴホッ！　わ、私はなんだか体調が優れない。しっ、失礼する！」

「あっ」

それはもう、早かった。

一体なんのためにレーウェンフックに来たのかも全く分からないけれど、カネリオン子爵のことだもの。何かしらどうでもいいようなことをバーナード殿下に命じられたのかもしれないわね。

例えば、私がきちんと惨めな扱いを受けているかどうか見てこい、とか。

そんなことを考えていると、フェリクス様が私を労わる様に覗き込んできた。

「ルシル、大丈夫か？　あまりにも愚かすぎて、呆気にとられてしまい、なかなかあの口を閉じさせることができなかった」

「ふふふ、驚きましたわよね！　私も、それ私ですよ！　ってなかなか口を挟むタイミングがなかったくらいですもの！　仕方ありませんわ。むしろ庇ってくださってありがとうございます」

「いや、それは当然のことで――」

そうしてお互いを労わり合う私たちの会話を思わずと言った風に遮る声が響いた。

「ええっ!?　あのおじさんが言っていた人って、お姉さんのことだったの!?　え、どういうこと？」

そうよねえ。本当にどういうことだと思うわよね。

驚いたことに、領民たちが口々に私へ声をかけてくれる。

「お嬢さん、あんな横暴な奴の言葉なんて気にすることはないよ！」

「そうそう、なんだか意味分からないし」

「ねえ～なんであの怖いおじちゃん、こんな天使みたいなお姉ちゃんに、あんなに悪口言っていたの？」

「そうだよね！　お姉ちゃん、とーっても綺麗なのに！」

「まあ！」

慰めてくれる大人たちに交じって、子供たちは私を褒めてくれているではないか。

「うふふ、ありがとう！　そんな風に言ってもらえて、とっても嬉しいわ！」

私がしゃがんでお礼を言うと、少し離れたところにいた子供たちはワッと走って近寄ってきた。

「うわ〜！　近くでも見ると、もっと綺麗！」

「お姉ちゃん、ひょっとして本物の天使様なの？」

「ふふ、残念ながらそれは違うわ。それに、あなたたちもとっても可愛いわよ！」

そうしている間に、フェリクス様はさっきカネリオン子爵に怒鳴られていたお爺さんに声をかけていた。

「領主様……ワシなどにこんな風に手を差し伸べてくれるとは……」

「いや、助けるのが遅くなってしまいすまなかった。あのような輩をこのレーウェンフックに入れてしまうとは不覚だ」

「おお……なんと慈悲深い……」

カネリオン子爵の登場で、楽しい気分が台無しになると思ったけれど。終わってみればなんだかフェリクス様と領民たちの距離が、ほんの少し近づいたんじゃないかしら？

（ふふふ！　結果オーライ、不幸中の幸いとはこういうことよね！）

それにしても、恐らくカネリオン子爵をここに向かわせた張本人、バーナード殿下って本当に嫌な人になってしまったわよね。昔から気は合わなかったけれど、ここまで愚かな人だったかしら……。

恋は人を愚かにすると聞いたことがあるけれど、そういうことなの？

フェリクス様と街に出て、薬を作る道具を買ったり、迷子の男の子のお母さんを探したり、人の見分けもつかない失礼なおじさんに絡まれたりしてから、数日が経った。

最近の私は、ことあるごとにレーウェンフックの敷地内で声をかけられるようになっていた。

「ルシル様！　以前いただいた軟膏《なんこう》、信じられないほど効きましたっ！」

「あら、それはよかったわ！」

ランじいと庭に出ていると、こうして使用人がそわそわと近寄って来ては、私が分けてあげた薬の使い心地などを教えてくれるのだ。

私はそれを聞いた後、いそいそとメモを取る。

コンラッドはいつも、「お客様の生の声は大事にしないと！」と、いい評判も悪い評判も忘れないようにこんな風に書き残していたし、クラリッサ様も「薬には人によって合う合わないがあるから、誰にどんなものが合うのかは忘れないようにしなくちゃいけないわ」と言いながら、全ての患者さんに対して薬の作り方を変えていたものね！

私はさすがにそこまで繊細なことはできないけど……その分、誰にでもある程度合うような物を作れるようにと心がけている。

（やっぱり、料理と同様、薬も見ているだけだった頃より、自分で作ってみる方が楽しいしワクワクするわ！）

おまけに、このレーウェンフックの近隣の森などには、よく見ると色んな種類の毒草が豊富に生えているのだ。

最初はラズ草での万能薬作りを始めたのだけど、少しずつ、手荒れに効く軟膏や、疲労回復にいい飲み物――ヒナコはこれを『栄養ドリンク』と言っていた――や、ちょっとした傷薬など、簡単に作れるものをどんどん試しに作ってみるようになって。

自分で使って問題がないことを確認してからは、それを屋敷の使用人に渡してみるようになった。

（料理を作れば食べてみてほしくなったみたいに、作ってみると、使ってみてほしくなるんだもの！）

私は記憶力がとってもいい。

アリス様に長い寿命を与えてもらった時に、アリス様はいたずらっぽく笑って言った。

『アタシの可愛い可愛いリリーベル、お前がずうっと先の未来にも、アタシとリリーベルの大事な思い出を一欠片も忘れないように、ね。だって、こんな愛しい毎日毎分毎秒を、アタシだけが覚えているなんて寂しいだろう？』

そして、私が大事なものを決してなくさない魔法をかけてくれたのだ。忘れてしまうことは、なくしてしまうことに似ているからだって。

だから、私は飼い主たちとの思い出を、いっぱいいっぱい、覚えたままでいられるの。

そのおかげもあって、私は愛すべき飼い主たちが大好きだったことも、概ね詳細に覚えているのだ。

残念ながら、魔法は『大事なものをなくさない』ためのものだから、興味のないことはすぐに忘れてしまうのだけど。

白状すると、王子妃教育は真面目にやっていたからしっかり覚えているけれど、バーナード殿下の顔はちょっと忘れてしまいそうよ？

まあ別に、忘れたって問題はない気がするからいいのだけど。

「かっかっか！　屋敷の者どもは揃いも揃ってルシーちゃんに夢中になっとるな！　ばかめ、気づくのが遅いんじゃあ。ワシは最初からルシーちゃんがとんでもなくいい子だと分かっとったわい！」

ランじいが豪快に笑いながら、どこか誇らしそうにそんなことを言う。

「うふふ！　そうね、ここで最初に私のお友達になってくれたのはランじいだもの！」

大事なお友達であり、どこか本当のおじいちゃんのように私を可愛がってくれるランじい。

私がそう言うと、ランじいは少し照れくさそうにはにかんでいた。

「うにゃーん！」

「みゃああ！」

あら、最初のお友達なんて言ってしまったから、猫ちゃんたちが怒っているわ。もちろん、人間のお友達の中では、という意味で言ったのよ！

「にゃあん！　あなたたちのこともとっても大好きで大事に思っているわ！」

猫ちゃんたちにそう言うと、「仕方ないわね！　許してあげる！」とばかりにごろんごろんと転がって甘えて見せる。

うふふ！　ヤキモチ焼きで甘えん坊で、本当にこの子たちはたまらないわね。いとかわゆし！

そんな風に毎日楽しく平和に過ごしていたのだけど、ある日いつものように外に出てみると、サラがなにやら本邸の方で顔色を悪くしているのが見えた。

これは……フェリクス様が魔力枯渇に陥ってしまった時の空気に似ているわね。

まさか、またフェリクス様に何かあったのかしら？

そう思い、心配していたのだけど、そのうちにフェリクス様の姿も見えた。こちらも顔色が悪いものの、しっかり自分で歩いている。

(彼は大丈夫そうだけど、何かがあったのは間違いないわね)

本邸の方に行って、何があったのか聞けば私にも教えてくれるかしら？

そんな風に考えていると、フェリクス様がふと顔を上げ、目が合った。離れの方から様子をうかがっている私に気がついて、フェリクス様の方からこちらに来てくれる。

「ルシル……」

しかし、近くで見たフェリクス様は思った以上に深刻そうな顔をしていた。

「何かあったんですか?」

「……街の方で、原因不明の病が広がっているようだ。最初は普通の風邪の症状だったようで、俺への報告が遅れたが、今では重症者も出始めているらしい。本邸の方に通いで働いている者の中にも症状の出ている者がいる。何かあった時のためにサラを側につけるので、あなたは離れから出ないでいてくれ」

どうやらサラは今のところ無事なようで、その病に罹患《りかん》していないかどうかを調べる魔法を受けているらしい。大丈夫だと分かり次第、サラもこちらに引きこもるようにする予定なのだとか。

もう一度本邸の方を見る。何人かの使用人が行き来しているのが見えるけれど、皆不安そうな表情を浮かべている。

私はフェリクス様に向き直った。

「フェリクス様、私も本邸に行ってもいいですか?」

「いや、原因が分からない以上、最悪の場合命の危険もあるかもしれない。あなたまで病に罹《かか》ってしまうようなことがあれば俺は――」

「フェリクス様」

心配してくれているのがよく分かって、その気持ちが嬉しい。

だけど、私にはクラリッサ様がかけてくれた健やかに過ごせる魔法の効果があるので、よほどのことがなければ病にはかからないのだ。

それに。

「こんな時のために、万能薬はあるのです！　絶対大丈夫なので、私に任せてもらえませんか？」

作った薬は大体試してみてもらったのだけど、ラズ草を使った万能薬だけは出番がなかったため、大量にあるのよね！

フェリクス様はそれでも不安そうで、その瞳には私に対する心配の色が宿っているように見える。けれど、強く頷いて見せる私を信じて、行かせてくれることになった。

私は急いで一度離れの中に戻ると、作って置いていたありったけの万能薬を闇魔法で作った空間に放り込み、すぐに本邸の方へ向かった。

どうやら、少しでも症状があり今回広まってしまった病に罹っている可能性がある人、症状が進み確実に罹患してしまっていると分かる人、一気に重症化してしまった人で部屋を分けて隔離しているらしい。

「本当に、気づくのが遅くなってしまい皆にも申し訳ない」

フェリクス様、すごく悔しそうだわ。きっと責任を感じているのよね。

だけど、私もついさっきまで離れの方で呑気にのんびりしていたんだもの。

初めての病ならよほど分かりやすくない限りその兆候なんて分からないはずだし、まして今回は初期症状が風邪のようなものだったというから、討伐で屋敷をあけることも多いフェリクス様がすぐに察知するのは難しかったのではないかしら。

「フェリクス様、大丈夫ですよ！　それに、こうしてすぐに対処できているんですもの。すごいです！　そのおかげで病に罹らず、元気に動けている人も多いみたいですし」

私は屋敷の廊下に立ち、慌ただしく働いている、病に罹患していない使用人たちを見渡す。

しかし、ふと気がつくといつのまにやら足元にマーズがちょこんと座っていた。

「あら？　マーズ、あなたもついてきたの？」

「うにゃあ〜ん」

マーズは私を見上げてひと鳴きすると、視線をずらし、ある一人の使用人をじっと見つめる。

その意味深な視線に、私はピンとくる。

「……もしかしてあなた、病に罹っている人が分かるの？」

「なおーん」

「そう、分かるのね、すごいわマーズ！　じゃあ、お手伝いしてくれる？」

「にゃあー！」

マーズは「任せといて！」と言わんばかりに、ふさふさふわふわの尻尾をタシッ！　と一振りした。

猫は感覚が人より鋭敏で、魔力を感じたり見たりすることに長けている。

そして、どういった魔力をより感知できるかは個人差……個猫差があるのだ。

きっとマーズが感じ取れる魔力の波長が、病に罹ることで乱れるような類のものなのね。

私もリリーベルの記憶を取り戻して、人にしては随分他の魔力を感じられるようになっているけれど、猫たちのそれぞれの得意な魔力を感じる力には敵わないから、とっても頼りになる助手さんだわ！

マーズには、病の気配がする人の元へ行ってもらい、その人にはすぐに隔離用の部屋に移ってもらうように手配する。

そんな私たちのやり取りを側で見ていたフェリクス様は、少し呆然としたように呟いた。

「本当に、どこまで、規格外なんだ……」

「うふふ！　そうでしょう、そうでしょう！　猫ちゃんたちは本当にとっても可愛くて魅力的なうえに、人の身から見れば規格外の能力を持っていますからね！」

私はマーズが褒められて嬉しくなり、ふふん！　と胸を張り大げさに自慢する。

「いや、猫もそうだが、むしろそれについては信じられない気持ちの方が強くて……それより俺は、あなたのことを――いや、今はいい。それで、俺はどうしたらいい？」

私の可愛い猫ちゃんの可愛さと素晴らしさに驚きつつも、今すべきことをしようと切り替えるフェリクス様。

猫ちゃんの可愛さにどんどんダメになっていってしまっても仕方ないくらいなのに、フェリクス様のこういうところが、真面目でお仕事のできる人って感じで好感が持てるわよね。

「とりあえず、この万能薬が害になることはないはずですが、効果の確認もしたいですし、念のため症状が軽く体力のある人に、少しだけ試させてもらいたいのですが……」

フェリクス様にそう言うと、すぐに部屋に案内される。

そこで私の作った万能薬を誰かに試してほしいとお願いしてみると、なんと、その部屋にいる全ての使用人や騎士が手を上げてくれた。

（まあ！　ここの人たちは本当に優しくていい人達ばかりよね！）

万能薬はコンラッドの作り上げたレシピだから、私としてはその効果にある程度自信はあるものの、それを証明することはできないし、私自身は薬師でも錬金術師でもないただの素人だ。

そんな素人の作った薬なんて、怪しくて飲めない！　と、誰にも協力してもらえないかもしれないと心配していたのだけど。

皆の厚意に感謝して、手を上げてくれた中でも一番体が大きくて、普段はほとんど風邪もひかないという体力のありそうな騎士に協力をお願いすることにした。

すると、騎士は本当に病に罹っているのか疑ってしまうほど、元気溢れる雄たけびを上げた。

「うおおおお！　ルシル様の、まだ誰も使ったことがない薬を最初に飲ませてもらえるなんてっ！　きたきたきた〜！　運の女神は俺に微笑んでいる！」

えっと、これは、明らかに喜んでいるわよね……？

私はそのあまりの喜びように思わず戸惑ってしまう。すると、今度は室内にいた他の人たちが口々に悔しがり始めた。

「最初に薬を試せるなんて、信頼関係あるって感じで、絶対俺がやりたかったのに……！」

「ううっ、悔しいっ！　私がこの筋肉騎士よりも見るからに体の丈夫そうな、二メートル越えの体を持っていれば、勝てたの……？」

「おい、お前、そんだけ叫べるなら元気だろ！　お前じゃ薬の効果の確認にならないんじゃないのかよ!?　俺と代われっ！」

「うるさい！　羨ましいからって勝手なことを言うな！　普段風邪も引かない分、こうしてるだけでも辛いくらいだわ！」

なんだかよく分からない争いが巻き起こっているのだけど。

「ええっと……」

（私の薬っていうか、私が作ったものを使うのが初めてなだけで、コンラッドのレシピなんだけど……）

戸惑う私の肩を誰かがポン、と叩く。振り向くと、カイン様が立っていた。

「ルシルちゃん、相変わらずモテモテだね～！　こいつら待ってたらいつまでたっても終わらないから、さっさと薬を試しちゃお！」

確かにそうかもしれないわね。

納得した私は薬を試し、最初の騎士様に無事に効果が出たことを確認すると、その後は屋敷中の罹患者に万能薬を飲ませて回った。

「フェリクス様、それでは私はこれから追加でラズ草を使った万能薬を作っていきますので、フェリクス様はカイン様たちと一緒に、それを街の人たちに配ってください！」

「分かった。しかし、病はかなり広まっている。領民全員に薬を配るとなると、ラズ草は足りるのか？」

「ふふん！　近くにもたくさん生えていたので、暇な時にいつもランじいと一緒に摘みにいっていたんです！　ほら！」

そう言って、私は得意げに闇魔法で作った空間に詰め込んでいたラズ草を出してみせる。

「……そうか。俺はもうこれくらいでは驚かないぞ……。ルシル、本当にありがとう、感謝する」

「いえいえ、それではもう少し頑張りましょうね～！」

こうして、レーウェンフックに広まった原因不明の病は、なんとか速やかに収めることができたのだった。

後日、それについての報告を聞いていると、なぜだかフェリクス様がなんとも言えない顔で私を見つめて言った。

「ルシル、あなたの万能薬を飲んで、今回の病だけではなく、ずっと患っていた持病がすっかり治ってしまったという者が何人もいるのだが……」

「まあ！　それはよかったですね！　健康第一ですもの！」

「…………そうだな」

やっぱり、コンラッドのレシピは完璧だわ！

私は改めて、愛すべき飼い主たちとの思い出に感謝して、そして彼らを誇らしく思ったのだった。

余談だけど、病騒動が落ち着いた頃、「お手伝いしたんだから、これくらいのご褒美はもちろんくれるわよね」とばかりにマーズが私を独占したがったので、他の猫ちゃんたちがやきもちを焼きに焼くことになった。

そのせいで、後日しばらくは「猫ちゃんたちで埋め立ての刑！」に処されてしまったのだけど、どちらかというとご褒美だったわね！


……今、俺が見届けているのは、本当に現実なのだろうか。

「ああ、ありがとうございます、ありがとうございます……！」

俺――カイン・パーセルは、フェリクスとともにレーウェンフックの街中に万能薬を配って回りながら、繰り返される感謝の言葉と涙に、夢を見ているような気分になっていた。

今もまた、このまま家族と別れの時を迎えそうになっていた人が、その家族の体を抱き起しながら、一緒になって俺らに頭を下げている。

きっとこの人は、万能薬をほんの気やすめだと思っていたに違いない。

街に突然広まった謎の病におかされて死にゆく領民のことを、最期に領主が「せめて少しでも心穏やかな最期を迎えられるように」と、「これを飲めばすぐに治る」と、優しい嘘をつきにやってきただけなのだと。

正直、一緒に薬を配っている俺さえも、心のどこかで半分くらいはそんな風に思っていた。

だって、普通は思わないじゃないか。

なんの変哲もない一つの小さな瓶に入った薬が、一瞬で死にかけの命に息を吹き込んでくれるなんて。これは、よく効く傷薬や軟膏なんかとはわけが違う。

一人、また一人にと薬を手渡し、命を取り戻す姿を見て俺は、この万能薬は本当に万能薬なんだなあ、と、どこか頭の悪い感想を抱いていた。

……もうさ、ずっと我慢してたけど、そもそも最初からおかしいだろ。

なんだよ、領地内に猛毒を含む毒草が大量に生えているって。

なんだよ、その毒草がすごくよく効く万能薬になるんです！　って。

意味分からないんだよ、この万能薬、死にかけの人まで生き返ってるじゃん。

『薬の効果には自信があるんですけど、素人の作った薬に皆さんが不安になってしまわないかが心配で……』

とかなんとか言ってたけどさ、素人がこんなレベルの薬作れるわけないからさあ〜！

本当は今すぐにでも「なんか全部おかしいから！」って叫びながら転がってやりたいくらいだけど、病人に薬を配るという使命があるから我慢してるだけだ。

それに、薬のことだけじゃなくて、俺はフェリクスにも驚いていた。

フェリクスは、人を簡単に信用しない。

いや、信用することができないと言った方が合っているかもしれない。

それは何も、意識して人を疑っているというよりは、信用したいのにそうできる相手がいないといった感じだった。

呪いをその身に受けて生まれてきて、フェリクスが運命を呪う瞬間を、何度見てきたことだろう。

そのフェリクスが、もう息をするのも苦しそうな患者の家族に、「絶対に治るから、なんとかこの薬を飲ませてやってくれ」と、なんの迷いも疑いもなく言ってのけたんだ。

そんなの、ルシルちゃんを心から信用してないと出てこないセリフだろ？

結局、万能薬は本当に万能で、誰一人命を失う人はいなかった。

なんと言っても不思議だったことがもう一つある。

薬を飲んだ人が、ふわっと、一瞬光るのだ。

それはまるでフェリクスを助けるために魔力を渡していたルシルちゃんが、全身から放っていたあの光を彷彿《ほうふつ》とさせるもので。

ああ、ルシルちゃんがこの人達を助けてるんだなあと、俺は心底思っていた。

そうして、病は無事に収束した。驚くほど呆気なく何もなく終わっていった。

領民がたくさん死ぬかもしれないと、覚悟した顔をしていたフェリクスは、ほんの少し抜け殻のようになっていた。きっと疲れているんだろう。

……そう思っていたんだけど。

病のあと、再発の恐れはないか経過観察をしていて、その報告をしようと思うのにフェリクスの姿が見えない。

どこに行ったのかと探してみると、あいつは離れの側にぼうっと突っ立っていた。

「何してんの？」

俺はそう声をかけながら、フェリクスの横に並び、その視線の先を何気なく見る。

……そこには、猫の塊があった。

「……え、何してんの…………？？？」

あまりのことに、今度は思わずそう声が出る。

「あの中に、ルシルがいる」

「へっ……」

いや、マヌケな声が出るのも無理はないだろ!?

以前にもルシルちゃんが猫の山の中に埋もれるようにして寝ていた姿を見たことはある。あるけど、今回はなんというか……猫の量が違う。

どこにそんなにいたんだよ？　と聞きたくなるほど大量にいる。

もはやルシルちゃんの姿なんて欠片も見えない。

「……よく、この感じであそこにルシルちゃんがいるって分かったね」

「ああ。猫たちが異様に甘えた声を出していたからな」

確かに今もよく聞くと、

「うみゃあああん」

「にゃあああおぉうん」

と猫たちがにゃんにゃん言っているのが分かる。ちょっと尋常じゃないほどに。

だけどな、言っとくけど、俺はフェリクスのその判断方法もどうかしてると思ってるよ。

それにしても、猫に埋まったルシルちゃんなんて、こんな気の抜ける光景を見ながら、フェリクスはなぜかとても難しい顔をしている。

俺は唐突にハッとした。

「もしかして、何か問題が起こったのか？　万能薬を飲んだ人に異常が現れたとか？」

そしてそれを、ルシルちゃんに伝えるべきかどうか迷っているのだろうか。

ルシルちゃんは薬の効果について、どんな些細なことでも教えてほしいと言っていたけれど、よくない何かが起こったとしたら、きっと気に病むに決まっている彼女に伝えるべきかは考えものだ。

しかし、フェリクスはそうではないと、力無く首を横に振る。

「なんだよ、じゃあどうしたんだよ？」

「ルシルが……ルシルが、すごすぎるんだ」

「はっ？　あー、うーん、まあ、そうだな？」

確かにちょっとおかしいくらい色々すごいけど、そんなの少し前からよく分かっていることだ。

今更何を？　と思う俺の方に振り向いて、フェリクスは心底困っていると言う顔をした。

「すごすぎて、俺が彼女にしてやれることが何も見つかりそうにない。俺も彼女の役に立ちたい、支えたいと思うのに、できることが何もない」

……おっと？

なになになに〜、そう言う感じ？

思わずにやけそうになる顔を必死で引き締める。この段階で、ここで笑えば、きっとこいつは二度と俺に相談しようとしなくなる。

それに、実を言うと俺は、笑いそうになるのと同じくらい、泣きそうにもなっていた。

運命を呪い、人を恐れ、傷つく心を閉ざしたフェリクスが、一人の女の子の役に立ちたいと言って悩んでいる。

こんなことってある？

「……まずは、猫と仲良くなった方がいいんじゃない？　ルシルちゃん動物全般に好かれるみたいだけど、特に猫に異様にモテるから、万が一猫に嫌われたらあいつら全力で邪魔してきそう」

俺は真剣に、ルシルちゃんの周りを敵に回した時のことを考える。

ランドルフ爺やアリーチェもうるさそうだけど、とにかく猫たちのルシルちゃんへの愛と執着が半端ないんだよなあ。

「……ああ、そうだな。俺の一番のライバルは、猫か……」

真剣な表情で呟くフェリクスに、もう我慢できなくて小さく吹き出してしまった。

人嫌い、女嫌い、血も涙もない呪われ辺境伯と噂されているフェリクスが、ルシルちゃんを猫と取り合うって。なんて幸せな戦いだろう？

俺はさも戦地に赴く男の顔をしたフェリクスを、微笑ましい気持ちで応援する。正直なんかマヌケで面白い。

…………ああ。

ルシルちゃんは、いつだって俺に、優しいおとぎ話のような世界を見せてくれるよな。

私はそれからも猫ちゃんたちに埋もれながら毎日を楽しく過ごしていたのだけど。

ある朝起きて、寝台の上で伸びをした瞬間、唐突に大事なことを思い出した。

「ハッ！　私、呪いを正しく解くためにも、フェリクス様がどうして呪われてしまったのか、知りたいと思っていたんだったわ！」

いくら病騒動などがあったとはいえ、そんな重大なことを忘れていた衝撃に思わず大声を出してしまう。

とりあえず、なにをどうするにも今は手がかりが少なすぎるから、現在の運命の英雄（疑惑）である大賢者エリオス様とどうにか会えないかと考えていたところだったのよね。

（だけど、エリオス様は変わり者で、魔塔という高い塔を建てて、ほとんど人前には出ないらしい、と）

どうしよう。本当にこれくらいしか情報がないのだけど。

そして、どうすれば他に情報が得られるのかもさっぱり分からないわ！

「ルシル様、お目覚めですか？」

うんうん唸って考えていると、控えめなノックとともにサラがやってきた。

入室の許可を出すと、サラは何やらトレイに手紙を一通のせて持っているようだった。

「ルシル様、おはようございます」

「おはよう、サラ。ひょっとして、その手紙って私宛のもの？」

「はい！」

珍しいわね。レーウェンフックに来てから、私に手紙が届くなんて初めてのことだわ。

王都での私、仲の良いお友達の一人もいなかったものね……。

バーナード殿下の婚約者だったから、分かりやすくその恩恵にあやかりたい令嬢たちはよく側にいたけれど、殿下がミーナ様に夢中になってからはさりげなーく距離を置かれたのよね。

以前は私の取り巻きと呼ばれていた令嬢たちのことを思い出しながら、本当にレーウェンフックに来られてよかったわと思う。

そう考えると、私って本当に幸運よね？　ある意味バーナード殿下にも感謝しなくっちゃ！

そんなことを思いながら手紙の封筒を確認する。驚くことに、封蠟《ふうろう》は私の実家であるグステラノラ侯爵家のもので、差出人はなんとお父様だった。

バーナード殿下に婚約破棄されたお前にはもう価値はない！　と怒り心頭で私をレーウェンフックに喜んで送り出したくせに、今になって一体どうしたのかしら？

私はちょっと嫌な気分になって、手紙を読むかどうか悩む。

だけどよく考えたら、私のことを嫌いなお父様にどんなひどいことを書かれていたって、別に何も気にならないわね？　と思いなおした。

私が好きな人や、私を好きでいてくれる人にがっかりされてしまうならばショックも受けるけど、そもそも私のことを嫌いな人は、どうせ私を嫌いなんだもの。

全く興味の持てない手紙をとりあえず読んでみる。

しかし、そこにはさすがに少し気になることが書いてあったのだった。


朝の支度が終わると、私はフェリクス様に話をするために、本邸の方に来ていた。

ちなみに、最初は「お前の顔なんか見たくない！」とばかりに、本邸からは死角になるような離れに案内されたわけだけど、最近の色々な出来事を経て、「好きな時に本邸に来てくれて構わない」とのお許しをもらっている。

うーん、最初の頃からは信じられないほど、随分フェリクス様とも仲良くなったわよね！

「失礼します」

「ルシル！」

カイン様に案内されてフェリクス様の執務室に入ると、私を見たフェリクス様がパッと表情を明るくして、立ち上がって歓迎してくれた。

ニコニコと楽しそうで、なんだか大きなワンちゃんみたいだわ。ちなみに、私は猫を愛しているけれど、もちろん犬も好き。

野良猫として周囲一帯のボス猫だった頃は、縄張りをよく散歩で通る犬と大げんかした後に、大親友になったこともあるのよ！

「あなたから話があるなどというのは初めてだな。もしかして、本邸に来てくれる気になったのか？」

「はい！　こうして遊びに来ちゃいました！」

歓迎されていることが嬉しくて、私は笑顔で答える。

「いや、遊びに、ではなくて、この本邸にあなたの部屋を――」

「ハッ！　そうでした、違いました！　私、フェリクス様に相談したいことがあるんです！」

「…………そうか」

「ぶふっ！　フェリクス、哀れ……くくっ」

後ろで何やらカイン様が笑っている。私がうっかり本題を忘れて遊びに来たなんて言ってしまったのが、そんなにおかしかったのかしら？

なんだかフェリクス様も妙な顔をしているし。誰にだって間違いはあるものなのに、ちょっと失礼よね！

「いや、しかし、ルシルが俺に相談……それはそれで願ってもないことだよな……。それで、相談したいこととはなんだ？」

フェリクス様が促してくれたので、気を取り直して本題に入ることにする。

「あの、私宛に父から手紙が届いたんですけど……」

「なに？　グステラノラ侯爵から？」

一瞬でフェリクス様の眉間にシワが寄る。あら？　まだ内容も言っていないのに、お父様ってば嫌われているのかしら？

そう思いながらも、私は手紙を差し出した。きっと読んでもらった方が早いから。

フェリクス様は手紙を読み、ますます眉間のシワを深めていく。

「レーウェンフックに広まった原因不明の病が、王都を中心に各領地でも確認されているのか……」

「はい。それで、レーウェンフックだけが病の被害がないので、何か対策を知っているのなら至急王都に戻り、この事態に対処しろ、と」

被害がないのではなくて、大きな被害に発展する前に解決しただけなのだけど。

「なんとも都合のいい話だな」

フェリクス様は嫌そうに言った。

しかし、王都やほかの領地に暮らす人たちが苦しんでいるのならば、これを拒否するなんてことはできない。

（それに、『お前がレーウェンフックから何かしたのではないか!?』なーんて、冤罪をふっかけてこないだけマシよねえ）

私、レーウェンフックに来られたことは感謝しているけれど、やってもないバカバカしい罪を着せられそうになったことは、今でも少し怒っているんだからね！

それに、私の頭にはあることが浮かんでいた。

……フェリクス様は、私がバーナード殿下の婚約者だったから、運命の英雄のことも大賢者エリオス様のことも知らなかったのではないかと言っていたわよね。

王家は自分が唯一至高で特別な存在でいるためにも、あえて王子の婚約者である私に対して情報操作をしていたのではないかって。

それってつまり、操作できるほど情報を把握しているってことよね？

ということは、王家に聞けば、大賢者エリオス様のことが何か分かるということなのではないかしら？

問題は、私がそれを聞いたところで本当のことを教えてくれるかどうかなのだけど。

……知っていても知らないと言い張られてしまいそうな気がするわよね。

そのことをフェリクス様に相談してみると、彼は少し何かを考えて、それから私に言った。

「本当は、出所を隠して万能薬だけ俺が王都に届けるのが一番いいのではないかと思っていたんだ」

「えっ？」

「ルシルは王都に辛い思い出があるだろう？　あなたが自ら行きたいと思うのでなければ、そんな場所に行く必要はないと思っていた」

なんと。フェリクス様はそんな風に考えていてくれたのか。

実際、された仕打ちに対してはまだ怒ってはいるものの、全然気にしていないので、もちろん辛い思いも何もないわけだけれど。

それはそれとして、やっぱりこんな風に気にかけてもらえるのはとっても嬉しい。

フェリクス様は私を見つめながら続ける。

「しかし、大賢者のことを聞くのならば、あなたは自分でそれを聞きたいと思うのではないか」

すごい、フェリクス様ってば、私のことをよく分かっているわ！

「ええ、そうですね。もしも王家がエリオス様について何か嘘をつこうとしていたとしても、そこにいれば、その場の空気で分かることもあるかもしれませんし。できれば一緒に行きたいと思います」

それに、なんなら万能薬を交渉の材料にすることだってできると思う。もちろん、本当に万能薬を渡さない、なんてことはするつもりは一切ないのだけど。

だけど、なんと言っても王都で私の評判はあまりよくなくて、いかに婚約破棄の時になすりつけられたのが冤罪だと分かっていたとしても、バーナード殿下の言うことを真に受けて、私のことを悪女だと思っている人も少なくないことは知っている。

今までは「なんでそんな嘘信じちゃうんだろう？」って不満に思うこともあったけれど、こうなってくるとその悪評が役に立つわね。

『ルシル・グステラノラは悪女だから、自分の望みが叶わなければ、病に苦しむ民のことも本当に見捨てるかもしれない』と思わせることができるかもしれないのだから。

うーん、不本意ではあるけどね！

「それなら、一緒に行こう。万能薬を作ったのがルシルであることを伝えるかどうかは任せる。あなたはしたいようにするといい。何があっても、あなたが困ることがないように俺がなんとかすると約束するから」

「まあ」

フェリクス様、なんて頼もしいのかしら!?

そんな風に力強く言い切ってもらえたことが嬉しくて、私は満面の笑みで答えた。

「はい！　フェリクス様が私の側にいてくれるのなら、何も怖いものはないです！　どうぞよろしくお願いします！」

「っ！　………ああ、任せてくれ」

こうして、私はフェリクス様とともに、万能薬を引っ提げて、王都に向かうことが決まったのだった。


王都に向かうのは、私とフェリクス様の他に、カイン様とサラだ。サラは道中の私のお世話を買って出てくれたらしい。

うふふ！　王都からレーウェンフックに来た時にはひとりぼっちだったことを思えば、とってもにぎやかで楽しい時間になりそうよね！

王都に向かう一番の目的は病に苦しむ人たちを助けるべく、万能薬を届けることで、二番目の目的は大賢者エリオス様の情報を何か少しでも手に入れること。

だから決して遊びに行くわけではないから、不謹慎かもしれないけれど、ちょっとワクワクしてしまう。

だって、友達とこうして遠くに出かけるなんてこと、今世では初めてなんだもの！

リリーベルの頃も、飼い主たちとあちこちを旅しては新鮮な驚きや楽しみを見つけることが大好きだった。

レーウェンフックで過ごす時間ももちろん大好きで毎日楽しいけれど、こういうのはまた別よね。

だから、つい張り切りすぎてしまったわ！

馬車の中では私とサラが隣に座り、向かいにフェリクス様とカイン様が座っている。

正面に座るフェリクス様が、私の抱える荷物を見て不思議そうに首を傾げた。

「ルシル、それは何を持っているんだ？」

「ふふん！　よくぞ聞いてくれました！　これは皆で食べるために作ってきたおやつです！」

マシューは冒険に出る時も、一緒に遊びに出かける時も、必ずおやつを作ってくれていて、私はそれがとっても嬉しかったのだ。遠出にはおやつがつきもの！　ただでさえ楽しい時間が、皆で美味しいお菓子を食べることでもっと特別な時間になるわ！

「わ！　ルシルちゃんが作ったお菓子ってこと？　やったー、俺、ルシルちゃんのお菓子大好きなんだよね！」

カイン様が嬉しそうに身を乗り出してそんな風に言ってくれる。

（嬉しい！　作った甲斐があるというものよね！）

ニコニコとカイン様と笑い合っていると、フェリクス様もぽつりと呟く。

「……俺も、ルシルの作る菓子は好きだ」

「それはよかったです！　皆で食べましょうね」

「ルシル様、私もご一緒していいのでしょうか？」

おずおずとたずねてくるサラに、私は思わず驚いた。

「もちろんよ！　サラにも絶対食べてもらいたいわ！」

そんな楽しい会話を繰り広げながら、馬車は王都へ向かっていく。

これはもはや、ピクニックと言っても過言ではないのではないかしら？？？

しかし、王都まで向かう途中に立ち寄った小さな町で、そんな風に呑気にしてばかりではいられないことに気がついた。

町は閑散としていて、それなのにどこか慌ただしい空気も漂っている。

「フェリクス様」

私が振り向くと、フェリクス様も町の様子に気がついていた。

「どうやらこの場所でも病が広まっているらしいな」

近くに通りがかった人に話を聞いて、病におかされた人が集まっているという、町の教会に皆で向かう。

そこでは、町のほとんどの人がいるのではないかというくらい、大勢が身を寄せ合って体を休めていた。

（これは、思っていたより大変な事態になっているのかもしれないわね）

そんなことを思いながらも、私はあることが気になっていた。

予知夢の私は、リリーベルの記憶を取り戻さなかった私だった。だから、きっと万能薬も作っていなかったはずだ。

それなのに、レーウェンフックをはじめ、こんな風に病が広まったなんてことは、起こっていなかったような気がするのだけど……。

だけど、今はそんなことより目の前で苦しんでいる人のことよね。

万能薬は闇魔法で作った空間にたくさん持ってきているし、万が一足りなくなっても、今日のためにラズ草も溢れるほど摘んできている。全員に問題なく薬を渡すことはできるはずだけれど、それでも症状の重い人から順番に飲ませてあげるべきだろう。

そう思って私は教会で休んでいる人の様子を見渡す。こういう場合、まず大事なのは状況を把握することだからだ。

そして、そんな中でもう一つ気になることが見つかった。

（なんだか、レーウェンフックで同じ病に罹っていた人たちに比べると、あまり症状が重くなさそうに見えるわね？）

もちろん、皆顔色はよくないし、辛そうに呼吸をしている様子も見られる。

だけど、レーウェンフックでは今にも命を落としてしまうのではないかというほど、重症な人も多くいたのに、ここにはそこまで重い症状の人はいないように見える。

実は王都の父からの手紙からも、どうにもそこまでの緊急性を感じなかった。王都の状態についても、完全に治癒はできないものの、病を回復魔法でなんとか和らげることができていると書かれてあった。

だから、元々レーウェンフックが一番被害が重く、王都寄りの場所に暮らす人達よりもレーウェンフック寄りの場所に暮らす人たちの方が症状が重いのではないかと、私とフェリクス様は考えていたのだけど。

私が不思議に思っていると、その心の内を読んだかのようにフェリクス様が説明をしてくれた。

「病の原因が分からないから、他にも理由はあるかもしれないが、レーウェンフックの民に病の症状が重く出たのは、恐らく土地に広がる呪いのせいもあったのだろう」

そうか、そういう可能性もあるのね……。

呪いは心身をともに蝕むものであるため、とても負担になるし、今回は恐らく、呪いと病気の相性が残念ながらとてもよくて、相乗効果のようにどんどんとその症状を重くしたのではないかと考えられる。

私はレーウェンフックに暮らしていて、土地に広がる呪いのことをあまり実感したことがないので、どうにもイメージが湧きにくいのだけれど。フェリクス様がそう言うということは、その可能性が高いのだろうと納得する。

それに、それなら王都の民の症状を回復魔法で和らげることができていることとも辻褄《つじつま》が合うわね。

というのも回復魔法が一番効果を発揮するのは怪我などの外傷で、病にはあまり高い効果を発揮できないという特性があるのだ。

軽い症状ならば回復魔法でも落ち着かせることができるけれど、例えばレーウェンフックの民のように症状が重くなってしまえば、本当に気休め程度にしか効果は見込めなくなる。

そんな事情もあり、病気は普通、専用の薬で治すのが一般的なのだ。

だからこういう万能薬が重宝されるんだもの。

つまり、回復魔法で症状を和らげることができた王都の民は、レーウェンフックの民に比べてこの病の症状がごく軽くてすんでいるのだということが分かる。

クラリッサ様くらいになると、そんなことは何も関係なしに怪我も病もばんばん治していっていたけれど、そんなことができるのはやはり『聖女』と呼ばれるほど優れた能力をもつ人くらい。

ひょっとして、エルヴィラも覚醒すればそういったことができるかもしれないけれど。

「このくらいの症状なら、万能薬を一本丸ごと飲まなくても大丈夫かもしれないですね」

私は教会の中を見渡せる場所に立つと、声を上げて、休んでいる病人やその人たちの看護をしている人たちの注目を集める。

「皆さん、ここに、この病を治すことができる万能薬があります！　これから皆さんにお配りするので、瓶の中身を半分ずつ飲んでください。元気な人は、薬を配るのを手伝っていただけますか？」

すると、病人たちの世話をしていた教会の人たちが、訝《いぶか》しげな視線を私に向けた。

「この病は原因不明だと言われています。そんな病を治す薬だなんて、その万能薬の効果の保証はあるのですか？　そもそもあなたは一体……？」

ああ！　私としたことが。そりゃあ、突然現れてこんなことを言っても、怪しいに決まっているわよね。

とにかく早く病を治して楽にしてあげたい一心で焦ってしまったけれど、こういう場合はまずは自分の身分を明かして、少しでも信用してもらうのが先だったわ。

気を取り直して、私はもう一度周囲を見渡して礼をした。

「失礼いたしました。私はルシル・グステラノラと申します。王都からの要請でこの万能薬を持っていくために向かっている途中で、この町に立ち寄りました」

しかし、私に向けられる視線は一層厳しいものになってしまった。

どうやら私の自己紹介は、残念ながらさらなる不信感を呼んでしまったらしい。

「ルシル・グステラノラ……？　グステラノラ侯爵家の？　あの、第二王子殿下に婚約破棄された悪女と噂の？」

なんてこと！　まさか私の名前がこんなにも有名になっていたなんて。

王子のことを口にする辺り、どうやらさっきから私に疑惑の目を向けているこの女性は、貴族のご令嬢のようね。

そうなると、もう言葉で何を言っても安心してもらうことはできないに違いない。

……仕方ないわね。とりあえず薬の効果がどうとかを信用してもらうより先に、この薬が人体にとって危険なものではないと分かってもらう必要があると考える。

それで、私は万能薬を一本手に持つと、皆に見えるように大きく手を掲げた。

「はい、ご覧ください！　これが先ほど紹介した、この病を治すことができる万能薬です！」

そして、私はそれをぐいっと飲み干した。

せっかく作った万能薬を、元気な私が飲むのは少しもったいない気がするけれど、背に腹は代えられない。それに、薬はまだまだたくさんあるしね。

「これで、この薬が害のあるものではないと分かっていただけましたか？」

どうだ！　とばかりに自信をもって胸を張ったのに、この場に広がったのはさらなる戸惑いの空気だった。あれ？　これじゃあダメだったかしら？

私はなんて不甲斐ないのかしらと思わず俯いて少ししょんぼりしていると、フェリクス様が私の隣に並び立ち、はげますようにそっと背中に手を添えてくれた。

私を信じてくれていることがよく分かるその手の温かさに、勇気をもらう。

そうよね、私が飲んでみせたことで、毒ではないことは分かってもらえたかもしれないけれど、健康な私が飲んでもこの薬の効果を証明することはできないわよね。

とにかく誰か一人でも薬を試してもらわなくては。きっと、目の前で薬が効く姿を見れば分かってもらえるはずだわ！

そう思って俯いていた顔を上げると、なにやら周りの人たちの表情がさっきとは違っていた。

「体が、光った……？」

「薬を飲んで光るなんてありえるか？　やっぱり、怪しい薬なんじゃゃ……」

「いや、それなら自ら飲んで見せたりはしないんじゃないか？」

ひそひそと、近くの人同士で話しているようだけれど、内容までは聞こえない。どうしたものかしらと思っていると、奥の方で座り込んでいた小さな男の子が立ち上がって言った。

「ゴホッ、ゴホッ……おねえちゃんは、ひょっとして、天使様なの？　だから、ポワポワって、光ったの？」

「こ、こら！」

慌てて男の子を止めているのは、この子の母親だろうか？

すると、今度は男の子のそばから、ぴょん！　と一匹の猫が飛び出してきた。

「あっ！」

男の子が思わずといったように声を上げたけれど、猫はそんなことはお構いなしに私の側まで走り寄ってくると、「うにゃんうにゃん」と甘えた声で鳴きながら、私の足に体を擦り付けてくる。

うーん、こんな時でも猫ちゃんは可愛いわ！　無意識に焦ってしまっていた気持ちが、癒されていくわね。

猫ちゃんは甘えながらも、ものすごく私に話しかけてくる。

「にゃあ！　うみゃおーん！　ふみゃあああ!!」

「あら、あなた、甘えるかお話しするか、一つずつ順番にしたら？　私はもう少しここにいるつもりだから」

「にゃあ～ん！」

「えっ？　あの子、ずっと病気で苦しんでいたの？」

「みゃおん！」

「……そう、そうなの。でも、もう大丈夫よ！」

私はそう話しながら、猫を抱き上げる。

ふと気がつくと、周囲の人たちどころか、なぜかフェリクス様まで驚いたような顔をしていた。

「……あなたは、本当に猫と話ができるのだな」

「はい、この子はとってもおしゃべりな子みたいですから！」

「………多分、そういう問題ではない気がするが」

周囲の人たちも、またもや口々に話し始めた。

「お、おい、動物と話してるぞ……！」

「昔読んだ本で、聖女様が動物と話すことができたって読んだことがあるわ……」

「まさか、じ、じゃあ、そういうことなのか？　あの光も、そういう光だった……？」

どうやらまだ、薬を飲んだ時に少し体が光ってしまう現象のことを話しているわね。

私もなぜなのか分からないのよね？

同じレシピでコンラッドの作った薬にはそんなことは起こらなかったのに。

万能薬を作る工程の一つで、魔力を流す必要があるのだけど、その時に早くよくなりますように、飲んだ人が元気になりますように！　って、おまじないをしているのが変な風に作用してしまうのかしら？

でも、たかがおまじないなのよ？

まあともかく、副作用もなくきちんと病が治るのだから、このくらい別に問題はないわよね！

周囲の人はまだざわついているけれど、それ以上に猫ちゃんがものすごく、ものすごく話しかけてくるので、そんなざわつきも気にならなくなってきたわね。

どうやらあの男の子はこの猫ちゃんの大好きなお友達らしく、その子を助けてほしいという優しい気持ちでいっぱいらしい。……が、それはそれとして私と遊びたい気持ちも全然止められないみたいだわ。

『あの子は病気なのよ！』『とっても辛い思いをしてるの！』

『ねえ、遊ぼ！』『わたしのここ、撫でてもいいよ!!』

『体にね、とってもいたーい痣《あざ》があるんだから！』『可哀想なあの子！』

『ねえ、遊ぼ遊ぼ！』『とりあえず一回、抱っこするぅ??』

『ああっ、あの子の病気を治してあげて！』『優しくて可愛い子なの！』

『まあ、わたしもとっても可愛いけど！』『あ～好き！　あなた名前は!?』

『あの子苦しいのに、あのやなヤツが病気おいていった！』『許さないー！』

『ほんとに好き！　ねえ、遊ぼ遊ぼ遊ぼ！』

ごろんごろんと激しく左右に転がって見せては、しゅたっと立ち上がり勢いよく体をぶつけてきたり。ばちっと仁王立ちして「にゃー！」と鳴いてみたり。なんだかもう色々と大興奮だわ。うふふ、いとかわゆし！　でもすごい喋る！

そう思って、つい吹き出しかけたけれど。

……ちょっと待って。今、途中でなんだかとっても気になることを言わなかった？

病気でできているのか、あの男の子には痛い痣がある、ということももちろん気になるけど、それ以上に聞き捨てならないこと。

「にゃおんっ？　ね、ねえ、『あのやなヤツ』って、一体誰のことを言っているの？」

「にゃあーん！」

うーん、困ったわね。とっても気になるし、すごく大事なことな気がするのだけど、この子にも詳しいことは分からないらしい。

だけどとにかく嫌な感じのする男がある日この町に立ち寄って、その後から同じように嫌な感じのするこの病がじわじわと広がり始めたんだとか。

もう少し情報が欲しいわねと考え込みかけて、ふとすごく視線を感じることに気がついた。

……あら、猫ちゃんの可愛さと突然出てきた情報に夢中になってしまっていたけど、なんだか周囲の皆が驚いたような目で私を見ているわね。

「ほ、本当に、猫と話してる……」

最初に私と私の持ってきた薬に疑問の声をあげた貴族令嬢らしき女性が呆然と呟く。けれど、私はそれをちょっと不思議な気持ちで聞いていた。

私は長く愛されに愛された白猫リリーベルとして生きてきて、よく知ってることがある。

人間は、猫ちゃんによく話しかけてくるってこと。

だから、私が猫ちゃんと話していたって、何もそこまで驚くこともない気がするのだけど。

最近薄々気づいているのだけど、どうも今までのルシルとしての私は、かなり狭く限定的な世界で生きてきた世間知らずみたいで、人間としての感覚が少し他の人とズレているのかもしれないな？　と思う瞬間が時々ある。

王子妃教育は身についているけれど、知らないことがどうにも多い気がするのよね。

うーんと首を傾げ、まあいっか！　とすぐに考えるのを諦めた。

（たとえ多少常識がズレていて変な子だと思われたって、誰かを傷つけるわけじゃないなら別に全然問題ないわね！）

他人にどう思われても私の価値は変わらないし、私だって愛する飼い主たちのことを何度（本当に変わってるわね、変なの〜！）って思ってきたか分からないしね。

（とにかく、今はあの男の子のことだわ）

私はちょっと待っててね、と言う気持ちを込めて猫ちゃんをひと撫でると、支えるように寄り添ってくれていたフェリクス様と目配せをして、咳をしながら母親の背中をさすられている男の子の方へと近づいて行く。

周囲の人も、私のことを止めようとはしなかった。

男の子の母親は少し戸惑っているみたいだったけれど、当の男の子は目をキラキラさせて私を見つめる。

「お姉ちゃん、やっぱり天使様なの？　それで、僕の友達と話していたの？」

「ううん、残念だけど、お姉ちゃんは人間よ」

天使のように可愛かったリリーベル時代、私のことを『まるで天使』と表現する人は何人もいたけれどね！

「でもね、あなたの可愛いお友達が、あなたを助けたいの～！　ってずっと言っているから、できれば私があなたを助けてあげたいなと思うのだけど、どうかな？」

「僕のことを？」

男の子は目を丸くして、母親は息をのんだ。

「みゃあーん！」

猫ちゃんが鳴くと、男の子は途端にくしゃりと顔を歪め泣きそうな顔になった。

元気に見せていたけれど、きっとこの小さな体でたくさん苦しみ、たくさん悩んできたんだろう。

「うん、うん……僕、天使のお姉ちゃんに助けてほしい」

私は天使じゃないのだけど、この男の子が私を天使と思いたいなら、もうそれでいい気もするわね！

天使のようなお姉ちゃんが助けてあげるからね！

私が薬の瓶を手渡すと、母親も手を震わせながら男の子がそれを飲むのを手伝ってあげていた。

「あ、痣が、痣が消えていくわ……！」

母親が何かに気づいたようにその子の服をめくり、驚きに声を震わせる。確かに、そこに存在していた、病特有の色をした痣がみるみるうちに薄くなっていった。

「おいしーい」

男の子がぽつりと呟き、教会の中を淡い光で照らすと、その後は万能薬に不安感を見せる人は、もう誰もいなくなったのだった。


一方王都、王城の一室にて。

ここ最近ずっと苛立ち続けてばかりの第二王子バーナードはそ、の報告に胡乱気《うろんげ》な声を出した。

「なに？　『天使』だと？」

「はっ、はい！　なにやら天使のように可憐で美しい女性が、あちこちの領地で奇跡の薬を与え、人々の病を治しながら王都へ向かっているとの噂が――」

「ふん！　それが本当なら、今すぐここにその天使とやらを連れてきてほしいものだな!!　っ、く、ゴホッゴホッ……」


その町でのことがあって、私達は道中で人が住む場所には必ず立ち寄ることに決めた。

王都に着いて、王族から民に薬を配ってもらうのが一番いいのかもしれないけれど、どうせ通るのだし、症状は命の危機にさらされる程のものではないとはいえ、苦しむ時間が少なくて済むに越したことはないものね。

「ああっ、あなたがお噂の……ッ！」

そして今、また立ち寄った街で、私は思いもよらない程の大歓迎を受けていた。

いくつかの場所では、最初の町の時のように警戒されたり、不審がられてしまったりしたのだけど、すぐにそんなこともなくなり、むしろこうして「待ってました！」と言わんばかりに歓迎されるようになっているのだ。

「どうしてかしら？」

そりゃあ警戒されるよりも歓迎された方がいいに決まっている。ことがスムーズに運ぶし、単純に嬉しいし。

だけどちょっと不思議だわ。勝手なイメージではあるけれど、普通は田舎より都会の方が警戒されそうじゃない？

王都に近づけば近づくほど、信用してもらえるまで時間がかかるかと思っていたのだけど。

現実には、進めば進むほど、歓迎度が上がっているのよね。

すると、あちこちに立ち寄るたびに住民たちに話を聞き、情報収集をしてくれているカイン様が、その疑問に答えてくれた。

「アハハ！　どうやらあっという間に、ルシルちゃんのことが噂として広まっているみたいだよ」

「噂、ですか？」

そういえば、さっきも『お噂の』とか言われたわね。

「そうそう。天使のような女の子が、あちこちで奇跡の薬を与えて、人々の病を癒して回ってるってさ」

「ええっ!?」

そ、それはまた思いもよらない噂ね!

今までは私に関する噂なんて（主にバーナード殿下のせいで立った）、愚かで醜い悪女だとか、傲慢で我儘とか、能力もないのに気位だけ高いとか、とにかく悪口を寄せ集めればいいと思ってない？　と疑いたくなるようなものばかりだったのに。

それに天使って……どうやら、最初の町のあの男の子の可愛い勘違いが、そのまま広まってしまったのかもしれないわね。

驚く私に、フェリクス様はなんでもないように言う。

「まあ、あながち間違ってはいないな」

……そうね。天使が云々はともかく、確かに私はあちこちで万能薬を配って、病を治しているものね。

奇跡の薬ではなくただレシピ通りに作っただけの万能薬だけど、病に苦しんでいた人からすれば、それほど嬉しい効果だったということだろう。役に立てているみたいで、私も嬉しい。

そう思い、私はフェリクス様に同意する。

「確かに、万能薬を配って病を治しているのは本当ですものね」

「それもそうだが、俺はあなたが天使のようだと言われていることについて――」

「ああっ！　でも、私がこうして万能薬を作り、配ることができているのも、ひとえにラズ草が豊富に採れるレーウェンフックの土地と、快く協力してくれているフェリクス様のおかげでもあるのに、これではまるで私一人のお手柄みたいですね!?　……えっ、今、何か言いかけてました？」

「…………手柄についてはそもそもあなたのものだから、気にするな」

「ぷっ！　くふふっ、もうダメ、最近のフェリクス、可哀想でいっそ愛おしい……！」

（えっ！）

カイン様が堪えきれないとばかりに漏らした言葉に、ドキリとする。

……そうよね。カイン様は笑いながら言っているけど、やっぱり手柄の独り占めはフェリクス様が可哀想よね。

とはいえ、立ってしまった噂はそう簡単には消せないし、変えられないから、そこは申し訳ないけれど諦めてもらって……この件が全て落ち着いたら、代わりに何か他のことで感謝とお詫びをしようとこっそり決める。

「ねえ、サラ？　フェリクス様って何をすれば喜んでくれると思う？」

「ルシル様がフェリクス様のことを思ってするなら、もはや罵倒さえもご褒美になると思います！」

今のうちにリサーチを始めておこうかと、こっそりサラに尋ねたものの、サラはしれっとそんな風に言うばかり。

罵倒でもご褒美だなんて、そんなことあるわけないじゃない？　変態でもあるまいし。

これは何にするか決めるのはなかなか骨が折れそうだわと思っていると、笑いすぎてフェリクス様に睨まれていたカイン様が、追加の情報を教えてくれた。

「それから、どうも病が広まってるのはレーウェンフックと王都への間にある領地ばかりらしい。一番ひどいのが王都だっていうのは間違いないみたいだけどね」

あら、そうなのね。お父様の手紙ではさも国中に広まっているかのように読めたけど、そういうわけではないらしい。

どうしてそんな広まり方をしているのかは謎だけれど、それなら他の領地を回って王都に行く必要もないので、よかったわよね。

そんなこんなで、私たちは道中引き続き薬を配ったり歓迎されたりしながら、あっという間に王都にたどり着いたのだった。


だけど、道中が平和すぎたこともあり、私は王都に着いて早々思いもよらないことになるとは、想像もしていなかったのだ。

王都に入り、検問のために馬車を降りるやいなや、私はすぐに、厳しい表情を浮かべた数人の騎士たちに囲まれてしまった。

「ルシル・グステラノラ侯爵令嬢！　あなたの身柄を今すぐ拘束する！」

（……なんで？）

予想外の出来事に思わず固まっていると、フェリクス様がすぐに前に出て、私を背に庇ってくれる。

私を厳しく睨みつけていた騎士達が僅かに怯んだのが分かった。

（ふわあああ！　こうしているとよりフェリクス様の魅力が分かるわね！）

リリーベルの記憶がよみがえったことで僅かに取り戻した野生の本能が、『強いオスは魅力的である』とびしびし訴えかけてくるのだ。

初めて実物と対面した時も思ったけれど、フェリクス様って王都の騎士様達よりもずっと体が大きくて、威圧感たっぷりで、強そうだし実際強いし人も殺せそうなほど鋭い眼差しもクールだしそんなクールな眼差しが緩んで笑うところは意外と可愛いし意外と繊細なのも可愛いし生物としてキラキラと輝いているわよね⁇

あと呪われているのにとっても健康そうなのも私的には高ポイント。

――ハッ、ついつい脳内で盛り上がってしまったわ！

最近は見慣れていたと思ったのだけど、まあ要するに、私はやっぱりフェリクス様のことが結構タイプだから、こういうふとした時にその魅力を再認識する感じなのよ。

だからこそ、予知夢の私がエルヴィラに嫉妬して怒っていた気持ちも、別にそんなに理解できなくないのよね。

そして、思うのだ。そりゃあエルヴィラも好きになるわよねって。

（だけど、この状況で盛り上がっている場合ではなかったわ）

気を取り直して、私は騎士達を威圧しているフェリクス様の背中にポンと触れ、大丈夫だということをアピールする。

そんな私をチラっと見ると、フェリクス様は大きく頷いてくれた。

やだ、このアイコンタクトで会話できる感じ、とっても仲良しって感じじゃないかしら？

もうそろそろ私とフェリクス様も友達から親友に格上げされる日もそう遠くないのでは？？？

フェリクス様は、もう一度騎士達に向き直ると言い放つ。

「お前たち、ルシル・グステラノラを連れて行きたいと言うのなら、俺に殺される覚悟はできているんだろうな？」

あ、あれ～～～!?　全然会話できていなかった！　とってもすれ違いだわ！

フェリクス様は全身から冷気を漲《みなぎ》らせているし、そんな彼に睨みつけられた騎士達は目に見えて怯えている。私は慌てて今にも剣を抜きそうなフェリクス様を止める。

「フェ、フェリクス様！　とりあえず大丈夫なので、一度落ち着きましょう。どう、どう……！」

「グ、グステラノラ嬢……！」

ほら！　さっきまで私を睨みつけていた騎士達が、今度は私を縋るように見つめているから！

声も少し震えている気がするから！

私が止めると、フェリクス様は殺気を抑え、すぐに引き下がってくれた。なんだかちょっとしょんぼりしているようにも見える。

もしかして、馬車の旅で体が疲れて、騎士達相手に少し運動したかったのかしら？

「ぷっ、ふふ、ふ……フェリクス、ルシルちゃんにいいとこ見せたかったんだな……くくっ」

「カイン様？　ぶつぶつ独り言言って笑っていないで、少しはフェリクス様を止めてください！」

「アハハ、ごめんごめん」

しかし、騎士達の態度は軟化したものの、あちらもお仕事。結局私は彼らに促される形で、連れて行かれることになってしまった。

フェリクス様は「行かなくていい」と言ってくれたけれど、ひとまず私に危害を加える気はなさそうに見えるし、もしもここで私が同行を拒否して、何かしら問題になる方が面倒だものね。

私一人なら、そのまま逃げだしてどこか遠くで楽しく生きていくこともできるけれど、今はフェリクス様達がいるわけで。彼らのせいだ！　と責められるようなことがあっては申し訳ないし。

それに、そう簡単に私を傷つけることはできないから、正直全然問題ないです。心も体もね！

そもそも私には目的があるのだから、ここで問題を起こすのは得策ではないのだ。


連れて行かれたのは王城だった。騎士達は、とりあえずフェリクス様たちが同行することも許してくれた。

どうやら、出された指示は「ルシル・グステラノラ侯爵令嬢が王都に現れ次第、王城に連れてくること」だったらしい。

私の悪評を知る騎士たちが、勝手に指示の意味を歪曲してしまった可能性が高いわね。

「そ、その、申し訳ありませんでした、グステラノラ？　嬢……」

「私たち、その、グステラノラ？　嬢のことを誤解していたようで……」

連れていかれる間、あまりにピリピリしているのも居心地が悪くて、努めて普通に話しかけていると、騎士たちがそう切り出してきた。

「いいんです、いいんです！　あなたたち、バーナード殿下のお側によくいた騎士様たちでしょう？　私の悪口なんて、夢に出てくるほど聞かされていたでしょうから、悪いイメージを持っていたって仕方ないですよ。ふふふ！」

私は、騎士達がすっかり穏やかに話してくれるようになったことが嬉しくて、思わずニコニコしてしまう。

最初はまた冤罪なの？　と少しうんざりする気持ちもあったけれど、フェリクス様が庇ってくれたから、なんだか気がすんだし！

「グ、グステラノラ？　嬢……ッ！」

騎士はなにやら口元を押さえて顔を赤くしてしまった。

ねえ、ところで私を呼ぶ時になんとなく疑問形になっているように聞こえるのだけど、気のせいかしら？

騎士たちは慌てたように私から少し距離を取ると、ヒソヒソと何やら相談し始めた。

「な、なあ、この人は本当にグステラノラ嬢なんだよな？　あまりに雰囲気が違って、自信を持ってグステラノラ嬢とお呼びできないんだが」

「確かに、検問で身分を証明してもらっていなければ、似ているだけの別人だと思ってしまっただろうな……」

「いや、しかし俺たちのことも知っているのだから、本人だろう。……むしろ、俺達のこと覚えてくれていたなんてちょっと感動しちゃったんだけど」

「なんか俺の知ってるのより小さいし、優しいし、ニコニコしてるし、……可愛い」

「シッ！　やめろ！　気持ちは分かるが、万が一俺らがグステラノラ嬢に好印象を持ったと知られたら、バーナード殿下が絶対に不機嫌になるぞ」

「いや、その前に、『呪われ辺境伯』に殺される……ひいっ！」

「うっ！　なんて恐ろしい目でこちらを見てるんだ……！　ダメだ、目を合わせたら視線で殺されるぞ！」

「お、おい、嘘だろ？　この殺気、まさか剣を抜いたりしないよな……」

あら？　いつの間にかフェリクス様が騎士達と一緒に歩いているわね。

フェリクス様、お顔は怖いし威圧感もすごいから、令嬢だけじゃなくて騎士にも怖がられているみたいだったけど、意外と打ち解けるのが早いのね！

そうして王城に連れて行かれると、すぐに中に案内される。途中で、なにやらどこかの部屋から大声が聞こえ、使用人たちが慌ただしく動き回っている様子が見られた。

（あれ、この声がしている方って確か……）

色々と気になるものの、すぐにとある応接室に案内され、考えることを一旦やめる。

応接室に入ると、そこで待っていたのは、……まさかの国王陛下だった。

「グステラノラ嬢、君にこんなことを言うのは都合がいいと分かっている。だが、もしも件《くだん》の病に対する対処法を持っているのなら……どうか、どうか助けてくれ！」

「……ええっと」

さっきからずっと、思わぬ事態の繰り返しで正直困惑しているのだけど。

とりあえず、詳しい説明を聞こう。

「まず、最初に聞きたい。君たちは件の病に対する対処法を持っているのか？」

私はフェリクス様と一度目を見合わせ、そして答える。

「はい。この病を治すことのできる、薬を持っています」

「……はあ、やはりそうなのか……」

国王陛下は額に手を当て、大きく息を吐いた。恐らく安堵のため息なのだと思うのだけど、どこか苦しそうな表情を浮かべているような？

そう思ってじっと国王陛下を見つめていると、部屋に新たな人物が入ってきた。

「陛下、言ったでしょう。あなたが甘やかしたバーナードが傷つけ、切り捨てた相手は、この国にとって得難い宝だったのだと。……久しぶりだね、ルシル嬢」

「……お久しぶりでございます、王太子殿下」

姿を現したのは、隣国に長く留学に出ているはずの、王太子——エドガー王太子殿下だった。

「あはは、随分他人行儀だね。やはり、君を傷つけたバーナードの兄である私も、君にとって関わりたくない相手の一人かな？」

「いいえ、とんでもないことでございます。私はバーナード第二王子殿下に婚約を破棄された身、立場をわきまえているだけですわ」

王太子殿下とバーナード殿下は異母兄弟である。

バーナード殿下は国王陛下の寵妃である第二妃の子供であり、母親にそっくりな彼を国王陛下は随分と甘やかしていたらしい。それもこれも、正妃の子供であり大変優秀な、この王太子殿下という存在があったからこそできたことだ。そうでなくちゃ、さすがにあんなに好き放題させてなんていられるわけがない。

国王陛下は、政治手腕は問題なく優秀なのだけど、バーナード殿下が絡むと途端に甘くなるという困ったところがあるのよね……。

王太子殿下は、私を真面目な顔で見つめると、たずねてくる。

「一つ聞きたい。ここに来るまでに、君たちは途中途中の街などでその薬を配ったかい？　もっとはっきり聞くと、噂になっている、『奇跡の薬を配り、人々を救っている天使』とは、ルシル嬢、君のことなのかい？」

……その通りではあるのだけど。その聞き方でそうですって、なんだかとっても言いにくいわね？

今更ながらちょっと恥ずかしい気がしてきて、あの男の子に合わせて『天使』と呼ばれることを止めなかったことを少しだけ後悔する。

すると、そんな私が一瞬言葉に詰まったすきに、フェリクス様が代わりに答えた。

「そうです。彼女、ルシルこそが、噂されている『奇跡の天使』です」

待って!!　フェリクス様に特に他意はないんだと思うのだけど、略し方が悪くてもっと恥ずかしい感じになっているわよ!?

なんだかとってもいたたまれなくて思わず少し俯いている間に、話はどんどん進んでいく。

「フェリクス・レーウェンフック辺境伯……君は、バーナードの暴挙でルシル嬢の婚約者になったんだっけ。……はは、そうか。なるほどね——人嫌いの恋する顔が見られる日が来るとは」

途中から声が小さくてなんと言ったのかが聞き取れなかったけれど、王太子殿下は何かに納得したようにうんうんと頷いている。

彼は、ふ、と微笑むと、すっと背筋を呼ばし、国王陛下に向き直った。

「陛下。これでルシル嬢が無事バーナードを治療することができた暁には、条件を飲んでもらいますよ」

条件とやらが何の話なのかはさっぱり分からないけれど、私は一つ察した。

バーナード殿下は例の病に罹っており、おそらく症状が重いんだわ。そして、国王陛下が「助けてほしい」と言ったのは、バーナード殿下のことだったのだと。

「ルシル嬢。聡い君にはもう分かったと思うが、どうか病に苦しむ民と、そしてバーナードを助けてやってほしい」

エドガー殿下のその言葉に、私は了承の礼をした。


エドガー殿下に連れられて、私たちは応接室を出て、来た道の途中にある廊下の奥へと進み、とある部屋の前まで案内された。

（ここ、バーナード殿下のお部屋よね）

さっき、通りがかりに大声が聞こえてきたのは、こちらの方からだった。おそらく、バーナード殿下が何かを叫んでいたのだろう。

「最初はね、風邪をこじらせたような症状で寝込んでいたようだ。しかし、私が留学先から戻ってきた時には、かなり症状が進行していたようで、耐え難い苦しみに大声で叫んだり、ベッドの上で暴れたりするようになっていたんだ」

「まあ、それは……」

つまり、一種の錯乱状態だということではないかしら。だとすれば、症状はかなりひどい部類に入ると思う。

王太子殿下は続ける。

「今は、魔法で無理やり眠らせているらしい。少しだけ意識を戻させるから、君の持つその万能薬を飲ませてやってくれるかい？」

「分かりました」

エドガー殿下の言葉に、私は頷いて答える。すると、フェリクス様が私の肩に手を乗せ、心配そうに見つめてきた。

「もし、第二王子が暴れ出すようなことがあれば、俺があなたを助けるから、安心してほしい」

「フェリクス様。とっても頼もしいです！」

私はバーナード殿下に近づくと、そっと薬を飲ませていく。

眠りの魔法は少しだけ緩められているため、殿下は薬を飲み下しながらも、ほんの少しだけその瞼を引き上げた。

（意識は朦朧《もうろう》としているだろうから、大丈夫だとは思うけど、薬を飲ませているのが私だと気づいたらそれこそ暴れだしそうよね）

しかし、なんとか殿下が暴れだすこともなく、無事に薬を飲ませることができた。

見慣れた淡い光がその体をぼうっと包む。

「なるほど、これは民が『奇跡の天使』と呼びたがるのも分かる、なかなかに神聖な光景だな……」

ちょっと！　エドガー王太子殿下！　聞こえていますからね！　フェリクス様のよくない略し方

が浸透しちゃっているじゃあないの！

これはよくない、よくないです！

だけど、だからこそこれに反応してしまっては絶対にダメな気がして、私は何も聞こえなかったことにすると、無反応を決め込んだ。

光が落ち着くと、バーナード殿下は虚ろな目で私を見つめ、ギリギリ聞き取れないくらいの小さな声で何かを呟いた。

わ、私って気づかれたかしら？

「……ほ、んとうに、来た……これが、てんしか――」

だけど、諸々いろんなことどうでもよくなるくらい、私には気になっていることがあるのだ。

誰も何も言わないから、なんとなく聞く雰囲気じゃなくて黙っているけど……。

あれだけ四六時中いつだってイチャイチャイチャイチャとしていた、ミーナ男爵令嬢は、一体今どこで何をしているのかしら？？？


バーナード殿下の様子が落ちつき、ゆっくりと眠りについたのを確認して、私たちは退室することにした。

そのままともに退室したエドガー王太子殿下と一緒にまた別の部屋に案内されると、ソファに向き合って座る。

するとエドガー王太子殿下は私を見つめ、にっこりと笑みを浮かべて言った。

「ルシル嬢、本当にありがとう。あんなのでも王族だからね。自分も罹っている病で王族の身に何かあったとなれば、民の不安は計り知れない。助かったよ」

「それは、よかったですわ」

前々から気づいていたけれど、エドガー王太子殿下はバーナード殿下のことを『弟』と呼ぶことはまずない。公式の場で状況に応じてそう示すことはあるけれど、きっと兄弟などと思っていないのよね。

そんなことを思いながら何気なくエドガー殿下の次の言葉を待っていたのだけれど、飛び出してきたのはさすがに予想だにしなかったものだった。

「ずっと、機会をうかがってはいたんだが……陛下が擁護するバーナードの大きな失態、そして何よりも、それを速やかに解決することができそうな現状……これで、あらゆる想定の中で一番穏便に、私が王位に就くことができそうだ」

エドガー殿下はそう言うと、自分の言葉に心底納得したように深く一つ頷いて続ける。

「いや、思ったより早くそうすることができるのは、まさに君のおかげだね。そうでなければ国は広がるばかりの病に疲弊していただろうし、王族の失態を隠すためにもしばらくは現状の体制を維持するしかなかったはずだから」

「へっ？」

思わず間抜けな声が出て、慌ててその口を噤む。

今、エドガー殿下は何と言ったかしら?

聞き捨てならない言葉はたくさんあったけれど、特に……王位に就く? いいえ、そりゃあ、王太子殿下なのだから、いつかは王位に就くのだし、それ自体は何も驚くようなことではない。

エドガー殿下は優秀で、臣下のみならず民の人望も厚いと聞くし、バーナード殿下は楽したいばかりで王位になど興味はないようだったし、その座を脅かすような要素は何もないのだから。

だけど、今の言い方ではまるで、今すぐにそうなるのだと言っているような……。

「三日。その期間で、病に罹った民を全て治癒することはできるかい?」

エドガー殿下が急に話題を変えるので、私は驚きながらも質問に答える。

「え? え、ええ。王都以外の領地の病はすでに収束したと言っていいと思いますし、あとは王都だけとなれば、人手だけ貸していただければ、丸一日、予備でもう一日あれば十分に万能薬を行きわたらせることができると思います」

薬のことを警戒されていれば、信用してもらうための時間が必要になるので、ひょっとしたら三日では足りないくらいかもしれないけれど。国王陛下も私と薬に関する噂を知っていたくらいだから、恐らく王都でもその噂は広まっているのではないかしら。

とすれば、他の領地でそうだったように、すんなりと薬を飲んでもらえるはずなので、時間はそこまでかからないはずだわ。

そう思って提示された期間より一日短い日数で答えると、エドガー殿下は満足げな笑みを浮かべ、何度も頷いた。

「素晴らしいよ、ルシル嬢！　本当に、どうして君は私の婚約者ではなくて、バーナードの婚約者だったのだろうね？　私なら君を手放すなどという愚かな真似はせず、心から慈しみ、大事にしたのに」

「王太子殿下！」

エドガー殿下の軽口を、フェリクス様が大きな声で咎める。

だけど、大丈夫ですよ。そんな社交辞令を本気にするほど、私も馬鹿ではないですからね！

王太子殿下は、バーナード殿下に相手にされず、手ひどく振られた形になった私の面目を保つためにも、こうして持ち上げて留飲を下げさせてやろうと思っているのだわ。

そんなことをしなくとも私は全く気にしていないので、全然問題ないのだけど。

だけど、殿下がわざわざ自分をダシにしてまで私の気分をよくしようとしてくれているのだから、その厚意を無下にすることもないだろう。

そう思い、私はにっこりと笑ってエドガー殿下を見つめる。

「まあ、殿下！　とっても嬉しいです！　バーナード殿下には全く相手にされませんでしたが、エドガー殿下がそのように私を評価してくれたことで、女性としての尊厳が満たされていく思いですわ！　ええ、殿下のような美丈夫に、自分の婚約者だったらなどと言われるのは、この上ない喜びですもの」

「うわあ、すごいや。全く心のこもっていない喜びだね」

そう言われて、私は心の中で首を傾げる。おかしいわね。全力で嬉しそうな顔をしたつもりだったのだけど。

レーウェンフックで自由に伸び伸びとしてばかりいたから、表情を作るのが下手になってしまっているのかしら？

だけど、隣にいるフェリクス様はハッと息をのんで体を強ばらせていたから、おそらく『社交辞令を真に受けて喜ぶなんて、後で傷つくんじゃないだろうか』と心配してくれたのだと思うのよね。

フェリクス様ってなんだかんだ優しいし。

それなら、私が取り繕うのが下手なんじゃなくて、単純に王太子殿下の目が優れているのかもしれないわね。

そんなエドガー殿下はその話を長く続けるつもりはないらしく、真剣な表情に切り替えると、私とフェリクス様に告げる。

「それでは、二日だ。二日で病を収束させてくれ。三日後に夜会を開き、病が無事収束した祝いとともに、陛下の退位と私の即位を宣言するから。もちろん、正式な式典は別で開くけどね」

「ええっ!?」

さっき、エドガー殿下は急に話題を変えたのだと思っていたのだけど、どうやら全く変わることなく同じ話の続きだったらしい。

それにしても、三日後に退位と即位の宣言だなんて、あまりにも事が早いのでは？

殿下の余裕のある笑みを見ながら、私はなんだかとんでもない場所に居合わせているような気がして、冷や汗が吹き出していた。

「そうそう、もちろん君たちは夜会の主役だよ？　なんせ病を治す天使と、その天使の守護者なんだからね。とはいえとても急なことではあるし、準備は全てこちらで整えるから、安心して病を治してまわってくれ」

「…………はい」

ツッコミどころはたくさんあったけど、ありすぎてツッコミが追いつきそうになかったので、仕方なく全て飲み込むことにした。

あまりに急展開ではあるけれど、殿下が「褒美は何がいいか、考えておいてくれ」と言っていたので、この結果は決して悪くないのではないかと思う。

私の望む褒美は一択だもの。

大賢者エリオス様のことを知りたい。

王家とエリオス様の関係性次第では、できるなら直接会わせてほしい。

そして、フェリクス様の呪いを解くヒントを得るのだ。


せっかく王都に戻ったので、私は少しだけ、グステラノラ侯爵家の屋敷に立ち寄ることにした。

フェリクス様と連れ立って、久しぶりに足を踏み入れたグステラノラ家は、少し寂しい雰囲気になっていた。

私には兄が一人いるけれど、母とともに領地で暮らしている。だから、私がレーウェンフックに向かうまでは、ここでお父様と私、それから使用人たちだけで暮らしていたのだ。

その場所から私がいなくなったのだから、雰囲気が変わってしまったのも仕方のないことなのかもしれない。

それに、この場所で暮らしていた頃の私は、リリーベルだった頃の記憶もまだ思い出していなくて、バーナード殿下の婚約者で、愛が欲しくてたまらなかった頃の私だから、変わってしまった私の心が余計にこの屋敷を寂しく見せているのかもしれないとも思う。

「……ルシルか」

迎えてくれたのはお父様だった。まさか出迎えてもらえるとは思わなかったわね。

「突然屋敷に立ち寄ってしまい、申し訳ございません」

私がそう言って頭を下げると、頭上からため息が降ってくる。

ああ、やっぱりこの人は私のことが嫌いなのね。

そう思ったけれど、次に続いたのは意外な言葉だった。

「ここはお前の家だ。家に帰るのに突然も何もないだろう」

不意をつかれて、思わず目をぱちくりしてしまう。そんな私をよそに、お父様は私の後ろに控えてくれていたフェリクス様に視線を移した。

「……ルシルの顔色が随分いいように思う。貴殿がきっと、よくしてくれているのだろうな」

あら、お父様がまさか、私の顔色に言及するなんて！

これではまるで、今までも私のことをよく見ていたような言い方ではないかしら？

「いえ。むしろ、ルシル嬢がレーウェンフックに来てくれたおかげで、我がレーウェンフックも随分と明るくなりました。これも、グステラノラ侯爵が王の理不尽な命を飲み込み、ルシル嬢をこちらへ送ってくれたおかげです」

フェリクス様はいつもよりも丁寧に、自分を『私』と言いながらそう告げると、お父様に向かって深々と頭を下げた。すると、お父様はフェリクス様から視線を外し、まるで気のない風にこんなことをこぼす。

「……王の戯言《ざれごと》は今に始まったことではない。王都に残ってもこの娘に未来はないのだから、まだ呪われていると言われる辺境の方がマシだと思ったまでだ」

続けざまにやってくる大きな驚きに、私は何も言えなくなってしまう。私はずっと、お父様は未来の王子妃という立場以外で、私に価値なんて感じていないのだと思っていた。

それを裏付けるように、『殿下のお心を掴め』と命じられていたし、婚約破棄された時には『お前に魅力がないのが悪い』と突き放された。レーウェンフックに送られる時だって、怒ったお父様の命令で侍女は一人も連れていけなかった。

それなのに、どうして今更そんなことを言うのだろうか。

ひょっとして、私は何か、大きな勘違いをしていたのではないのか。

だって、リリーベルだった時だってそうだったじゃないの。愛情の表現には、色んな種類が存在していて、分かりやすいものだけが愛だったわけじゃなかった。

けれど、私が考えを整理するより先に、お父様が背を向けて立ち去ってしまう。

「エドガー殿下に役目を与えられたと聞いている。こんなところであまり長く無駄な時間を過ごさないように」

「あ……」

……確かに、今はあまり時間がないものね。聞きたいこと、知りたいこと、気になることはたくさんあるけれど、それを聞き出すには少し慌ただしすぎるようにも思う。

そんな私の気持ちを察したのか、フェリクス様が、気持ちを落ち着かせてくれようと、私の背にそっと手を添えてくれた。

「またグステラノラ侯爵とはゆっくり話す時間を作ろう」

「はい。フェリクス様、ありがとうございます！」

「……俺も、あの方と話したいことは色々とあるからな」

こうしている間にも王都で病は蔓延している。レーウェンフック領に比べてその程度は軽いとはいえ、やっぱり人々が苦しんでいることには変わりない。

そのため、ほんの少し立ち寄るほどの時間しかなかったけれど、見送りには、私の専属侍女だった、大好きなレイシアも姿を見せてくれた。

「ルシルお嬢様！　ああ、お久しぶりでございます！　ずっとずっとお会いできる日を心待ちにしておりました！」

「レイシア！　ああ、私もずっとあなたに会いたかったわ！　今日も、本当はもっとゆっくりできたらよかったのだけど……」

「私もお嬢様とゆっくりご一緒したかったのですが……この状況ですもの。仕方ありません……」

しょんぼりとするレイシアに、私は慌てて言葉を付け足す。

「あのね、そのうちお父様に聞きたいこともあるし、そう遠くないうちにまた帰って来ようと思うわ」

「はい！　お待ちしております！」

そしてレイシアは私に近づくと、フェリクス様に聞こえないようにこっそりと言った。

「それにしても、恐ろしい方だと噂だったレーウェンフック辺境伯様は、随分とお嬢様のことを優しい目で見つめてらっしゃるのですね。……お嬢様が泣き暮らしているのではと心配でしたが、私、安心しました」

「うふふ、レイシア、ありがとう！　フェリクス様って、分かりにくいけど優しい方なのよ。それに……とっても、イケメンよね！」

「はい！　バーナード殿下なんて目じゃないですね……！」

まあ、レイシアは私にしか聞こえないヒソヒソ話とはいえ、平気で不敬なことを口にしたわよ！　だけど、そんな風に気を許してくれているからこそできる内緒話が懐かしくて、嬉しくなってしまう。

その後も、馬車に乗った私を、レイシアは見えなくなるまでずっと、手を振りながら見送ってくれたのだった。

「お嬢様、待っていてくださいね。そのうちきっと、このレイシアもお側に向かいますから……！」

その後、私はフェリクス様や、エドガー王太子殿下の手配してくれた騎士たちの手を借りながら、約束通り二日もかからず病を綺麗さっぱり収束させた。

あとは万が一のために万能薬を今の時点で作ってある分だけ殿下に献上して、私の役目は終わり。

そして、あっという間に夜会の時間がやってくる。

「ルシル様！　本当に本当に本当にお綺麗です!!」

「うふふ、サラは大袈裟ね。でも嬉しいわ、ありがとう！」

ドレスを着て、化粧をしてもらい、夜会の準備ばっちりの私は、王城のメイドやサラにちやほやと褒めそやされて、とってもいい気分になっていた。

リリーベルの時から、もう何度も言われてきたけれど、「可愛い」や「綺麗」などという褒め言葉は全く聞き飽きることがないのよね！　いつだって何度言われたって、最高に嬉しいし気分が上がるわ！

エドガー殿下は本当に全ての準備を整えてくれていた。

私に用意されていたドレスは、私の瞳の色に合わせてくれたのか、青空のような綺麗な水色で、ふわふわとドレープが重ねられている可愛いものだった。

レーウェンフックに行くまでの私は、バーナード殿下の好みに合わせて大人っぽく、セクシーな大人の女性を意識していたから、ドレスも赤だとか派手な色や、綺麗な形のものばかりだったのだけど、本当は私、こういう可愛いものも大好きなのよね。

たくさん褒めてもらえることとも合わせて、今の私はとってもご機嫌だ。

そんな私を見て、部屋に来てすぐはなぜか言葉を失っていたカイン様は、興味深そうに呟く。

「なんというか、ルシルちゃんって気持ちよく褒め言葉を受け取るよね。貴族令嬢ってさ、褒めそやされて『そんなことありませんわ』なーんて謙遜するタイプとか、『美しいなんて、そんなの分かりきったことでしょう』なーんてタイプとか、はたまた照れて顔を赤くしちゃうような初心《うぶ》なタイプとか、そんな子も多いじゃない？」

「それは、カイン様がお付き合いしてきた令嬢たちのお話ですか？」

「ええっ？　なんか俺が遊び人みたいな言い方だね？　そうじゃなくて一般的に、だよ～」

カイン様は驚いて、さも「心外な！」というような顔をして見せるけれど、この王城で使用人たちと話すようになって、彼のモテっぷりは耳に入っているのよね。最初に会った時にもモテそうだなと思ったけれど、やっぱりそうだったわ！

それに勇者エフレンが割とそういうタイプだったから、私、そこそこに遊んでいるのも分かるのよ？　別に、女の子を泣かせないのならそれも悪いとは言わないけれど、誤魔化すということは怪しいわね？

その気持ちがカイン様をじとっと見つめる目に出ていたのか、彼は慌てて話を続ける。

「ま、まあ、俺のことはどうでもよくてさ……ルシルちゃんはそんなどのタイプにも当てはまらないなって。好意を素直に受け取って、なんの抵抗感もなく受け入れて、でも、別に傲慢さがあるわけでもない」

「だって、人によく思われたり、褒められたり、好かれたり、優しくしてもらったりって、嬉しいじゃないですか？　嬉しいものは嬉しいのだから、私、人の好意は素直に受け取ることにしてるんです」

もちろん、人によってはそれをはしたないと思う価値観を持つ人だっているかもしれない。

だけど、私ならやっぱり誰かに向けた好意を受け入れてもらえると嬉しいし、優しさや好意の行動には遠慮されるより、喜んでもらえる方が嬉しいもの。

当然の話だと思ってそう言ったのに、なぜかカイン様はおかしそうに笑った。

「アハハ！　やっぱりルシルちゃんって面白いね」

「うーん？　そうですか？　ありがとうございます？」

一体何がそんなに面白いのか分からないけれど、嫌な感じはしないから、きっと褒めてくれているのだろう。

そんな風に話していると、ノックの音が聞こえ、扉が開かれる。

現れたのはエドガー殿下とフェリクス様だった。

フェリクス様は私と目が合うと、カイン様と同じように一瞬言葉に詰まる。

「――っルシル、あなたは」

「やあやあ、ルシル嬢！　君は本当に美しいね！　私の用意したドレスもとても似合っているよ」

それでも何かを言おうとしたフェリクス様の言葉を、遮るようにして私を褒めちぎるエドガー殿下。

うふふ！　エドガー殿下はどこまでが軽口なのか分かりにくいけれど、それでも褒められること自体は嬉しいわね！

「ありがとうございます。とっても可愛くて綺麗なドレスで、嬉しいですわ」

「気に入ってくれたならよかった。では、そろそろ行こうか」

「はい」

それにしても、フェリクス様は一体何を言おうとしたのかしら？

そう気になってたずねてみても、

「いや、出遅れた俺が悪かったんだ」

となにやら反省していて聞くことはできなかった。どこか悔しそうな顔をして、不満げにエドガー殿下を見ていたのだけれど、大丈夫かしら？

まあ、とにかく！　今はこれからの夜会のことよね。

王太子殿下からは、まず私とフェリクス様を今回の病収束の功労者として称え、私たちの友好関係を存分にアピールした後に、国王陛下の退位とエドガー殿下の即位について発表が行われるという段取りだと聞いている。

なんだかすごくいいように利用されている気がしなくもないけれど、こう見えて私も高位貴族の娘。一時は王子の婚約者として王子妃教育も受けていた身だもの。王家に恩を売って損はないことはよく分かっているし、せいぜいこの後の自分の望みを叶えるために、こちらも利用させてもらうまでよね。

エドガー殿下は王族として別で入場することになるので、私はフェリクス様にエスコートを受け、殿下とは別で入場する。

会場に入ったそばから、私たちはとても注目されていた。

うーん、良い視線もあれば、悪い視線も感じるわね。それも当然と言えば当然か。

フェリクス様は『呪われ辺境伯』として名高いし、私だって事実はどうあれ、嫌われ悪女として王都を追い出されたようなものだし。

正直、興味ない人にどう思われたって私は全然平気なのだけれど、フェリクス様は大丈夫かしら？

私は心配になり、隣に立つフェリクス様を見上げる。すると、彼は険しい顔でどこかを睨むように見つめていた。

ええっ？　どうしたのかしら？　なんだかとっても不穏な空気を醸し出しているわ！

驚いてその視線をたどると、人の波の先に、バーナード殿下の姿があった。

（あら。バーナード殿下、夜会に参加できるほど元気になったのね。顔色も悪くないようだし、病に罹っていたなんて信じられないくらいだわ）

バーナード殿下のことは好きではないけれど、それでも私の万能薬で元気になってくれたなら、よかったなと思う。

すっかり元気になった殿下は、私とフェリクス様をどこか呆然とした様子で、ポカンと口を開けて見ていた。これはきっと、私とフェリクス様が夜会に参加するとは知らなかったのね。

というより、エドガー殿下のことだから、バーナード殿下には何も教えていないのかもしれない。

ううん、かもしれない、じゃなくて、絶対にそうだわ。

すると、我に返ったのか、バーナード殿下は呆けた顔から一転、みるみるうちに顔を歪ませて怒りの表情に変わっていった。

（わー、嫌な予感しかしないわ！）

どう考えてもめんどくさいことにしかならなそうなので、一瞬逃げようかとも考える。けれど、ここで逃げたってどうしようもない気もするわね？

バーナード殿下、結構粘着質だから追いかけてきそうだし。

フェリクス様も動く気配がないので、これはさっさと済ませてしまった方がいいかもしれない、と思い直し、こちらにズンズン近づいてくるバーナード殿下を迎え撃つことにする。

殿下は人をかき分け私たちの前まで来ると、低い声で唸るように言った。

「貴様、どういうつもりだ？」

うわーやっぱり、めんどくさい展開だわ！　いざとなったら、あなたを助けたのは私ですよ！

とアピールしようかしら。バーナード殿下のことだから、信じないかもしれないけど。

そう思い、思わずため息をつきかけて、ふと不思議に思う。

バーナード殿下は嫌悪を隠しもせずに睨みつけてきている。

（んんっ？）

だけど、私ではなく、どう見ても隣のフェリクス様を睨んでいる気がするわね？

私はさりげなく一歩横に進み、フェリクス様に近づくと、こっそり小声で聞く。

「フェリクス様、バーナード殿下と何かあったんですか？」

すると、困惑気味な返事が返ってきた。

「いや、こうして直接言葉を交わすのは恐らく初めてだと思うが……」

ええっ？　バーナード殿下、初めて話す相手に『貴様』なんて言っちゃってるの？

というか、てっきり拭い去りようのない因縁でもあるのかと思うほど、めちゃくちゃ睨んでますけど!?

「おい！　何をこそこそと話している!?　今すぐ離れろ！」

私たちが小声で会話していることが気に入らなかったのか、バーナード殿下は怒りの形相でそう怒鳴る。けれど、睨みつけるような視線は相変わらずフェリクス様に向いている。

と、思った途端にその目が私の方に向けられた。急だったので、思わず目を伏せてしまう。

なんだかよく分からないけど、目が合ってはいけないような気がしたのよ！

しかし目だけではなく、俯いた私の前にさっと手が差し出される。

えっ、何この手？

不思議に思いながらそっと顔を上げてよく見てみると、バーナード殿下の私を見る目は、さっきまでフェリクス様を睨んでいた視線とは全く違って、その、なんというか、優しい？　生温い⁇ものだった。ええっと？

「さあ、どうかこちらに」

おまけに微笑みかけて、どこか優しい声をかけてくる。

ええっ⁉　誰⁉　これ誰なの⁉　バーナード殿下にそっくりだけど、バーナード殿下なら私をこんな目で見てこんな風に声をかけるわけがないもの！　絶対に偽者だと思うわ！

王族主催の、王城で開かれた夜会で、王子が別人にすり替わっているなんてこれはとんでもない大事件なのでは⁉

「い、いえ、あの、私の今日のパートナーはフェリクス様ですので……」

とにかく、ここで偽者を指摘して逆上されては困るわよね？

そう思い、なんとかことを穏便に収めて、すぐにエドガー殿下にこのことをお伝えしなければ！と焦る。

そのせいで少し声が震えてしまったけれど、これは仕方ないと思う。

だって、それくらいこの偽者のバーナード殿下は本物にそっくりなのよ！

変装なのか、元々よく似た人を見つけて来たのかは分からないけれど、成り代わりがここまで違和感なく行われていることは恐怖でしかない。

しかし、偽者バーナード殿下は、私の言葉を聞くなり片手を胸に当て、もう片方の手を額に当てると、天を仰ぐような大袈裟なポーズを取り嘆き始めた。

「ああ、なんと嘆かわしいことだ！　呪われ辺境伯、貴様がこんなにも下種《げす》な男だったとは！」

「…………？」

「え、ええっと」

今度は突然また矛先をフェリクス様に向けたわ!?

突然のことにフェリクス様もなんと反応していいのか分からないようで、怪訝な顔をしている。

この偽者、ひょっとして錯乱状態なんじゃあないかしら？

そう思いじっと観察してみるものの、魔力にひどい乱れは見られない。ちょっと興奮状態ではあるものの、状態異常に陥っているということはなさそうね……。

私が戸惑っている間にも、偽者バーナード殿下は喋り続けている。次のセリフは私に向けてのようだ。

「麗しいあなた、可愛い人、私の天使……！」

「は？」

やっぱり偽者だわ！　バーナード殿下の一人称は『俺』よ！

確かにちょっとカッコつけて見せたり、気取っていたりすると『私』になる時もあるけれど、バーナード殿下なら私相手に自分をよく見せようだなんて絶対に思わないもの。

しかし、続けて吐かれた言葉に少し引っかかりを覚えた。

「私は覚えている。病に倒れ、今にも天に召されるかと思った時、優しい天使が私を救ってくれたことを……。意識は朦朧としていたが、彼女が噂の『奇跡の天使』だとすぐに分かった。そんな天使が私を熱のこもった目で見つめ、愛と優しさでこの命を救ってくれたことに気がついた時、天にも昇る気持ちだった!!」

……なんだろう、言っていることはめちゃくちゃだけれど、とても知っている出来事のことを話しているような気がするわね。

「……そして、同時に悟ったのだ。この天使こそが、私の運命のたった一人だと。もちろん、その天使とはあなたのことだ」

恍惚とした表情で私を見つめるその人に、素早い動きで手を取られ、すり……とそのまま手の甲を撫でられた。

(い、いやあああ!!)

こ、これはひょっとしてバーナード殿下なのかもしれないわ! とても信じられないけれど!

だけど、私はこの目を知っているもの! あちこちでイチャイチャイチャイチャとしている時、ミーナ様に向けていた目よ!

えっ。でも、そうしたら、どうしてバーナード殿下は私にそんな目を向けているの? やっぱり、錯乱状態なのかもしれない……!

もしくは、薬を飲ませた時のことを語っていたようだったから(私の認識と少し違ったけれど)、命の恩人である私に対して一時的に心のストッパーが外れたような妙な状態になっているとか？　その可能性はあるかもしれない。

　落ち着いた時に我に返って、自分の行動が恥ずかしすぎて死にたくなるやつだわ。なんせ、そうしている相手が一番嫌っているはずの私なんだもの。

　どちらにしろもうやらかしてしまっているとはいえ、傷は少しでも浅い方がいいはずよね。

　そう思い、あなたが愛している人は別にいますよー！　と教えてあげることにする。

（頑張ってなんとか我に返れ!!）

「あ、あの、あの、バーナード殿下には、ミーナ様という愛する方がいらっしゃるのでは……？」

　ただし、あまりにも異常状態バーナード殿下が怖すぎてつい噛んでしまった。

　真実を伝えようとしただけなのに、なぜだかバーナード殿下（異常状態）はますますその目を輝かせる。

「ああ、私の名を知ってくれているんだな！　そしてミーナのことも知っているとは……。彼女のことはもういいんだ。確かに彼女を愛していた時もあった。だが、私から去った彼女のことは、すでに整理がついている。むしろ、あなたという運命の女性と出会うための別れだったのかと、今ではそう思っているよ」

　えっ!?　ミーナ様の姿を全然見ないわねと思っていたら、バーナード殿下、捨てられちゃったの!?　あんなに人前でもお構いなしにイチャイチャイチャイチャしていたのに!?

　驚きに身を固めると、そんな私の肩が後ろから引き寄せられる。フェリクス様だ。彼も突然始まったバーナード殿下の意味不明な私を持ち上げるような言葉に不快そうに眉をひそめて、私を庇うように抱き寄せた。

そりゃあそうよね。今更何を言っているんだ？　って、誰だってそう思うわよね。

フェリクス様のおかげでバーナード殿下に取られていた手も解放され、ほっと息をつく。どうやらあまりのことに驚きすぎて、呼吸が止まっていたみたい。

バーナード殿下はそんなフェリクス様をもう一度睨みつけると、彼を無視して、彼に庇われる私に向かってなおも話しかけてきた。

「私の天使、可愛い人！　あなたはこの下種な男に騙されているのだ！　この男があなたに何と言ってパートナーになるように仕向けたのかは知らないが、実は……この男には婚約者がいる！」

「……えっと」

バーナード殿下は一体何を言っているのだろうか？

「おまけに、その女は信じられないほど愚かで醜い、性悪の悪女なのだ！　ただでさえ婚約者がいる男に騙され、傷つくあなたを見るなど耐えられないのに、きっとあの悪女は自らの婚約者が側に置きたがるあなたを、決して許さず、あらゆる手を使い害そうとするだろう。そんなことは許せない！　ああ、許せないぞ、ルシル・グステラノラめッ!!」

話しているうちにどんどん興奮していくバーナード殿下。

目の前の私を心配して、目の前の私を罵倒している。

それにあわせてフェリクス様の表情も、警戒から憤りへ、そして困惑へとみるみる変化している。

えっと、これって、どういうことなの？

「さっきから何を言っているんだ……？」

先に耐え切れなくなったのは、私ではなくフェリクス様の方だった。でも、そりゃそうよね。あと二秒遅かったら私も同じように突っ込んでいたと思うわ。

しかし、バーナード殿下はそんなフェリクス様を蔑むように見る。

「いいから貴様は彼女を放せ。彼女は貴様のような下種な男が弄んでいいような人ではない！　そもそも、ルシル・グステラノラはどうした？　王家主催の夜会に、婚約者を放っておいて堂々と別の女性を伴うとは、恥を知ることだな！」

私は驚きに耳を疑った。

え、ええ〜〜!?　バーナード殿下がそれを言うの!?　王家主催だろうがなんだろうが、場所も選ばずミーナ様をそばに置いて、私のエスコートなんてほとんどしなかったくせに!?

とんだブーメランだわ……言った本人に戻ってきて刺さるどころか致命傷、バーナード殿下はブーメランの名手ね！

私は脳内でたまらず大騒ぎしていたのだけど、フェリクス様はとても冷静にバーナード殿下に答える。

「彼女はここにいるが……？」

「なにっ!?　あの悪女もこの会場に来ているのか!?　おのれルシル・グステラノラめ、よくも俺のいる夜会に来られたものだ……！」

「……？？？」

フェリクス様は心底訳が分からないとばかりに不思議そうな顔をしているけれど、私はさすがに察しましたよ。

バーナード殿下、まさかの私がルシル・グステラノラであると分かっていませんね……!?

そんなことがあり得る？　と思うけれど、実際あり得ているのだろう。信じられない。確かに私はバーナード殿下の前ではいつだってレイシアのおかげで派手セクシー系お姉さんっぽい美女、通称戦闘モードの姿でいたけれど。それにしたって何年婚約していたと思っているのかしら？　こんなに間近で顔を見て、話までしているのに分からないなんてある??

あるのよね！　さすがバーナード殿下！

どうやって真実を突きつけてやろうかと考えていると、もう一人、ややこしい人がこの場に参戦してきた。この空気によく飛び込んでこられたなあなんて、呑気なことを思ってしまう。

「殿下！　この女性です！　レーウェンフックでも辺境伯が連れ歩いていたのは!!」

「なに!?　例の話か！　領地でもすでに囲っているのか……！　許すまじ……！」

そう、カネリオン子爵だ。

（ハッ！　そういえば、カネリオン子爵も私がルシルだと気がついていなかったんだったわ！）

つまり、やはりカネリオン子爵がレーウェンフックに来たのは、バーナード殿下の命令で私の様子を確認するためだったのだろう。そして、その時の報告をバーナード殿下にばっちり上げているんだわ。フェリクス様が私という婚約者を放って、別の女性を堂々と連れ歩いていたって。

もちろん、それは私だったのだから、とんだ勘違いの報告なわけだけど。

「いや、いい機会だ！　あの悪女に、俺の愛する天使を害したらどうなるか、釘を刺しておいてやろう！　――おい！　ルシル・グステラノラ、どこにいる！」

「はい」

ここにきて初めてきちんと名指して呼ばれたので、素直な私はすぐに返事をする。

しかし、バーナード殿下はきょろきょろと周囲を見渡している。

うーん、こんなに目の前ではっきりと返事をしているのに？

人間、思ってもみないことはなかなか認識できないものらしい。

ひとしきり周りを確認した後、バーナード殿下は苛立った様子で、もう一度私を呼んだ。

「ルシル・グステラノラ、さっさと出てこい！」

「はい！」

もうね、そろそろ限界ですよ。だってこの夜会、一応祝いの場なわけでしょう？　それなのにバーナード殿下がさっきから大声で怒ってばかりいるから、雰囲気は最悪だし、周りも少し前から何事かとずっと注目しているのだ。

ただでさえ私もフェリクス様も、残念ながらあまり評判がいいとは言えないのに、そんな中でこんなふざけたことの中心にポンッと置かれてしまった形で、ますます印象が悪くなったらどうしてくれるのかしら？

別に、何を思われても構わないけれど、それでも当然、受ける必要のない悪感情は受けないことに越したことはないというのに。

そう思い、私は一歩前に進み出ながら、今度は元気よく返事をした。また聞こえなかったらいけないので。

そんな私を、バーナード殿下は優しい眼差しで見つめる。

「おや、どうしたんだい？　大丈夫だ、私がきちんとルシル・グステラノラに言って聞かせてやるから」

「そうですか。では、どうぞ聞かせてください」

「え……？」

何が何やらよく分からないようで、困惑しているバーナード殿下に向かって、フェリクス様が私の肩を抱き寄せながら、端的に説明してあげた。

「ご挨拶が遅れました、殿下。殿下のおかげで、ルシル・グステラノラ嬢と――あなたの言葉通り天使のように可愛く優しいこの人と婚約することができました。感謝申し上げます」

「まあ、照れますわ、フェリクス様」

フェリクス様、ナイスアシストです！

どうやらフェリクス様もさすがにこのおかしな状況がなぜ起こっているのか、気づいたらしい。

私を見つめながら、婚約のお礼をバーナード殿下に言うなんて。とんでもなく皮肉が効いていていいわね。

そのために見つめられ、見せつけるために甘い言葉で褒められた私は、役得でしかなくてご満悦ですよ。

口から出まかせだと分かっていても、魅力的な男性に褒められるのは嬉しいものだからね。

「は……何を、たちの悪い冗談を……」

そう言いながらも、どこかでそれが真実だと気づき始めているのか、バーナード殿下は驚きと混乱で、目を見開いて言葉を失っている。

その後ろには全く同じ顔をしたカネリオン子爵。なんだかこの二人、似てきたんじゃないかしら？

すると、そのタイミングでよく通る低い声が聞こえてきた。

「私の夜会で、また問題を起こしたようだな、バーナード」

騎士を伴い王族席の方に入場したエドガー王太子殿下が、いまだに事実を飲み込めていない様子のバーナード殿下を、冷たく見ていた。

しかし、次の瞬間その厳しい表情が笑みの形に変わる。

……とんでもなく美しく、そして私の目には胡散臭《うさんくさ》くしか映らない、極上の作り笑顔だけれど。

「まあ、いい。今まではお前の暴走に頭を悩ませることも多かったが、今日でそれも終わるのだからな」

「兄上……？」

(手間が省けてちょうどよかった、なんて、エドガー殿下の心の声が聞こえてきそうだわ)

きっと、バーナード殿下がおおっぴらにこんな茶番を繰り広げていなければ、今のようなセリフはもっと人のいないところで言うはずだったのではないだろうか。

「ルシル・グステラノラ侯爵令嬢、ならびにフェリクス・レーウェンフック辺境伯、こちらに来てくれるか」

「仰せのままに」

私は矮小《わいしょう》な一臣下ですからね。もちろん、バーナード殿下とは違って、王族らしくとっても腹黒そうなエドガー王太子殿下には、逆らいませんよ！


「ルシル・グステラノラ侯爵令嬢、ならびにフェリクス・レーウェンフック辺境伯、こちらに来てくれるか」

俺とルシルに向けて王太子殿下がそう言った後から、にわかに会場がざわついた。

「ルシル・グステラノラ嬢？　あのバーナード殿下に婚約を破棄された悪女か？」

「いやいや、あれはバーナード殿下の暴走による冤罪だっただろ。しかし、それはそうと、グステラノラ嬢とは、あんな感じだったか……？」

「……なんというか、小さくて、可愛いな」

「そうだよな!?　もっとこう、威圧的で、高慢で、いつもぴりぴりとしていたような……今は、ずっと微笑んでいるな」

「ルシル・グステラノラ嬢、あんなに可憐な人だったのか……！」

「辺境に送られて、何があったんだ？」

ルシルをエスコートしながら俺の耳に入ってくる話の大半は、男どもの彼女に対する印象の話だ。

誰もかれもがルシルの姿に驚き、息をのみ、頬を染めている。

レーウェンフックで初めてルシルを見た時、確かに今の彼女とは随分印象が違ったものだ。愚かな俺が鵜呑みにしていた噂を彷彿とさせる姿であったから、きっと彼女の人となりも聞きかじったものとそう違いないのだろうと思い込んだ。

あの時の自分にもしも会うことができれば、そんな自分を殴り飛ばしてやりたい。

（それに、カインの言っていた意味が分かる日が来るとは……）

『お前がいいならいいけど。俺、なんか嫌な予感がするんだよね。お前はいつか今日のことを後悔するよ、きっと』

あれは、俺が彼女に対して噂を鵜呑みにし、誤解し、ひどい態度をとったことを謝罪した時のことだったな。

俺は本当に理解できていなかった。自分の気持ちも、彼女に許されたからと、あの瞬間に詰められた分だけの距離を詰めておかなかったことで今になって生じる壁の高さも。

『謝罪って言うのはさ、自分が思ってる半分も伝わらないことの方が多いわけ。『君を嫌いだと言ったのは誤りだった』くらいはっきり具体的なことも付け足しちゃってもよかったと思うんだよ』

カインの言う通りだった。自分の思っていることの半分も伝わらない。それは何も、謝罪に限ったことではない。特に俺は、あまり感情を表に出すことが得意ではない。言葉でどれほど喜びや感動、彼女に対して湧き上がるこの感情を伝えようとしても、全く伝わっている気がしない。

それはきっと、やはりあの最初の一歩がそのハードルを高くしているように思う。

初めて彼女に会ったあの日、どうして俺はあんなことを言ってしまったのだろう。

その上、その過ちについて謝罪させてもらえる機会があったのに、どうしてきちんと自分の気持ちを明確に伝えることを怠ってしまったのだろうか。

彼女が許しを与えてくれたことで安堵するのではなく、本当に自分がどう思っているのかを理解してもらえるように努めるべきだったのに。それは、あの時にしかできなかったのだ。

今からではもう遅い。そもそも、初めからルシルは全く怒っていないのだから。もう一度掘り返して話をしたとしても、なぜ終わったことを、と困惑させてしまうに違いない。

俺の差し出した手をなんのためらいもなくとり、優雅にエスコートされているルシルをちらりと見やる。

彼女は、猫のような人だ。レーウェンフックでよく猫に囲まれているから、余計に猫のようだと感じているのかもしれないが。

しなやかで、自由で、気まぐれで……人の好意を受け入れるのが上手く、甘え上手。我儘を言わないわけではない。ルシルは時として、さりげなく周りを誘導して自分の望みを叶えている節がある。やりたいことは必ずやるし、やりたくないことを無理にしている姿は、少なくともレーウェンフックでは一度も見たことがない。

最初に手なずけたのが気難しいランドルフだったことは今でも笑える。おかげでランドルフは最近、騎士や使用人とも以前よりずっと打ち解けているように見える。

それはそうだろう、あれだけ『ルシーちゃん、ルシーちゃん』と目じりを下げて笑っている姿を見て、誰が今までのように怯えていられるだろうか。

最初は俺の噂話を信じ、使用人にあるまじき態度をとり、誤解が解けてからは罪悪感からルシルにたいして多少の遠慮をしているようだったサラも、今では小さな頃から一緒だった乳兄弟だったのか？　と疑いたくなるほどの構いようだ。ときおり、ルシルにうっとうしがられているのが微笑ましいほど。

アリーチェがルシルを『お姉様』と呼びだした時には驚いた。誰にも心を開かず、常に気を張って、わざと自分本位な態度を取り続けていたアリーチェ。

きっと、アリーチェを本当に救ったのは、ルシルが彼女の『特別』な部分を見つけたことではない。ルシルが、いつだってアリーチェを、『ただ一人の特別な存在』として接し、愛情を注いでいることこそが、アリーチェに本当の意味で『価値』をもたらした。彼女自身が感じる、自分自身の価値を。

彼女は愛され慣れていて、愛し慣れているように見える。そしてそれ以上に、周囲の人間は彼女といると、自分のことも愛したくなる。彼女がいつだって、自分自身の愛し方を、目の前で見せてくれるから。眩《まぶ》しいルシルの側にいると、自分もそう在ることができるような気がしてくる。

そんな風に思わせてくれる存在が、一体この世界にどれほどいるだろうか？

（いや、きっと、ルシルのような人は決して二人といないだろう）

俺は、呆然と俺とルシルの去っていく姿を見ているバーナード第二王子に視線を移す。

なんと愚かなやつだと思う。しかし、もっと何かを間違えていたならば、あれは俺の姿でもあったかと思うとゾッとする。

いやしかし、それにしてもこれほどルシルと話していて、彼女がルシルだと気がつかないなどとは、さすがに愚かすぎるだろう。長い間婚約者だったはずだろう？

噂には聞いていたが、どれほどルシルを軽んじ、蔑ろにしてきたのか。

腹は立つが、俺は自分勝手な人間なので、それ以上に湧き上がる感情が強い。

ありがとう、ありがとう、ルシルをレーウェンフックに送ってくれて。心から感謝する。

俺が彼女に出会えたことが、彼女に与えられた罰だというのなら、婚姻を処罰に使われるような人間だったのが、俺でよかった。

『呪われ辺境伯』などという不名誉な呼ばれ方がルシルを俺の住まう地に送ってくれたというのなら、その悪意と嘲りを含んだその呼び方さえも、今はもはや誇らしい。

エドガー王太子殿下のそばに歩み寄る。今回の功績を称える言葉が、ルシルに与えられる。

ルシルのここから先の未来の光も、願わくば側で見ていたい。きっと彼女は大人しくなどしていないだろう。次はどんな奇跡をもたらし、どんな驚きを与えてくれるのか。

そして、そんな彼女が自分では振り払えない厄災に見舞われた時には、他の誰でもない俺が力になりたい。

（今のところ、俺の出る幕がないのが少し悔しいが……）

俺はそんなことを思いながら、人々の彼女に対する憧れと好意、羨望の眼差しを、その隣で見届け続けていた。


私とフェリクス様がともに壇上にあげられると、エドガー殿下は段取り通りに私たちの功績を大勢の前で称えた。

「病がすぐに収束したことで、大きな被害はなかった。だが、それは結果論であり、ルシル・グステラノラ侯爵令嬢の助けがなければ、恐らくそのうち死者も出たことだろう」

何人もの息をのむ声が聞こえる。

確かに、レーウェンフックで同じ病に罹った人に比べて、王都の人達の症状は比較的軽めだったとはいえ、時間が経てば重症化していった可能性が高い。

現に、バーナード殿下は錯乱状態に陥る程悪化していたわけだものね。

そういえば、どうしてバーナード殿下だけあんなに症状が重かったのかしら??

そんなことを考えていると、視界の端でバーナード殿下がガクリと膝を突くのが見えた。

彼のすぐ側に立ちすくんでいるカネリオン子爵も、目を見開いて私を凝視している。うわあ、驚いてる驚いてる！

でもね、私がいくら今までと化粧も衣装の雰囲気も違ったたって、ここまで私だと気づかなかったのは、あなたたちくらいのものですよ。多分。

「そんな、俺の天使が、ルシル・グステラノラだったなんて……」

そんな呟きが微かに聞こえてきて、私は心の中で苦笑する。

そうですよー、あなたが天使と呼んでなんの気の迷いか愛を乞おうとしていたのは、この私、ルシル・グステラノラですよー！

なんだか可哀想なほど打ちひしがれているようだけれど、これぱっかりはどうしようもない。バーナード殿下、こんな夜会で、他の貴族たちが山ほどいる中、盛大にやらかしたわけだからね。

ほら、何人かは笑いをこらえるようにバーナード殿下を見ているわ？

そりゃそうよね、私を庇って、私を罵っていたわけだもの！

これはきっと黒歴史になること間違いなしだろうけれど、どうか気を確かに、強く生きていってくださいと願うばかりだわ！

「――この功績に、見合う褒美を与えると約束する。ルシル嬢、君の希望は後でゆっくり聞かせてもらおう」

「光栄でございます」

この場で褒美を言えと言われなくてよかったわ、とほっと息をついたものの、こちらを見ているエドガー殿下の意味深な微笑みで、私の願いが人前で言いにくいことだと察してあえてそうしてくれたのだと気づく。

エドガー殿下、お腹が黒くてちょっと怖いけど、やっぱりこういう、人を見る目はとっても優れているのよね……。

ああ、エドガー殿下、どうかその人を見る目をバーナード殿下にも少し分けてあげてください！

「さて、それから、残念な知らせと喜ばしい知らせがある。ここしばらく、国王陛下の体調が優れない。今回の病に罹ることはなかったのが幸いだと言えるが、――この機会に陛下の退位が決定した。これが残念な知らせだ」

周囲がシン……と静まった。誰もが息をのんでエドガー殿下を見つめている。

バーナード殿下が小さく「は？　父上が？　そんなまさか」と呟いている声が聞こえるが、その気持ちも分かる。だって国王陛下、とっても元気だもの。

むしろ、「私も飲みたい！」とねだられて私が渡した万能薬を飲んで、ここ数年で一番健康的で元気なはずだわ。ひょっとしたら持病の一つでもあったのかもしれないけれど、どちらにしろ今は消え去っているはずだ。

残念な知らせの内容がこうなれば、次に続く喜ばしい知らせは一つしかない。

「そして、喜ばしい知らせは、陛下の退位に伴い、正式に私が王位を戴くことに決まった。正式な公布と式典はこれからになるが、どうか皆の力を貸してほしい」

その瞬間、静まり返っていた会場が、ワッと沸いた。

口々に祝いの言葉がエドガー殿下に投げかけられている。もちろん、内心は色々と思うことがある人もいるだろうけれど、おおむね雰囲気はいい。昔から、エドガー殿下は人気があったものね。

誠実で頭の回転が速く、人を尊重する方だから。……ちょっとつかめないところはあるけれど。

はあ、やれやれ。これで私の役目は終わりよね？　早くレーウェンフックに帰って、ランじいと野菜を作ったり、サラとお菓子を作ったり、猫ちゃんたちと日向ぼっこしたりしながら、ゆっくりダラダラ過ごしたい。

その前に、大賢者エリオス様の件を、もしも知っているなら知る限りのことを教えてほしいと、エドガー殿下にお願いしないといけないけど。

盛り上がる会場を後にした私とフェリクス様は、そのまま別室に案内される。

さあやっと本題よ！　と思ったのだけれど、なぜかその部屋にはバーナード殿下とカネリオン子爵まで待っていた。

んんっ？　どういうこと⁇

「ルシル、あなたはこちらに」

「あら、フェリクス様、ありがとう！」

フェリクス様はさりげなくバーナード殿下から離れた位置に私を座らせてくれた。本当に、よく気がつく優しい人よね！

バーナード殿下はそんなフェリクス様をじとりと見ていたけれど、さすがに口は開かなかった。

遅れて入ってきたエドガー殿下は、またもや美しい作り笑いを浮かべながらソファに座る。

「さて、ルシル嬢。あなたに褒美は何がいいかを聞く前に、はっきりさせておかなくてはいけないことがあってね。申し訳ないが、先にそれを終えさせてもらうよ」

「はい」

頷くしかないので、頷いておいたけれど。一体これから何が始まるのかしら？

ここにバーナード殿下とカネリオン子爵が呼ばれていることを考えても、きっとこの二人に関係があることよね？

だけど、二人の顔を盗み見てみても、何が何やら分からないといった表情に見える。

それに、この二人に何か話があるのだとして、どうして私とフェリクス様まで同席させられているの？

「この話は、少なからず君たちにも関係があることだからね。きっと聞いておいた方がいいと思ったんだ」

私の心を読んだかのように、ニコニコと同席の理由を教えてくれるエドガー殿下。

ますます、一体なんの話だろう？　さっき、私を私と気づかずに夜会会場で騒ぎを起こしたこと？　と思うも、なんだかそれだけではないような空気だ。

すると、柔和に見える笑みをスッと消したエドガー殿下が、バーナード殿下とカネリオン子爵に向き直った。

「今回の病の件で、お前たちの処分が決まったよ。バーナードは王族から除籍、カネリオン子爵は貴族籍の剥奪と罰金刑だ。ルシル嬢が薬を作り出してくれてよかったね。死人が出ていれば、最悪死刑もあり得たのだから」

病の件で、バーナード殿下とカネリオン子爵の処分が決まった……？

ということは、つまりあの病の流行に二人がなんらかの形で関わっているということよね？

話の全貌が全く見えないので、大人しく場の成り行きを見守ることにする。

「あ、兄上？　何を……病の件で、俺の処分とは？　一体どういうことですか？」

あら？　エドガー殿下にそうたずねているバーナード殿下は、どうも本気で困惑しているように見えるけれど。

王族にはあるまじきことだけれど、バーナード殿下はいささか直情的で、自分の立場が悪くなるのを回避するために演技ができるような器用なタイプではない。つまり、本当に寝耳に水といったところなのじゃないかしら？

ちなみに、カネリオン子爵はポカンと口を開けたまま固まっている。彼も同じく、事態が飲み込めていないのかもしれない。

「お前は、きっと、本当になんのことか分かっていないのだろうね。自分がどれほど重大な罪を犯したのか」

エドガー殿下はこれ見よがしにため息をつきながら言い放つと、視線をいっそう鋭くした。

「バーナード。お前、ミーナ・ノレイト男爵令嬢を禁書庫に入れたな？」

（ええっ！　そうなの？）

私はエドガー殿下のその言葉に驚いた。

禁書庫といえば、その名の通り一般には公にすることができない禁書や、特別な許可を得た人しか閲覧することができない特殊な書物が保管されている書庫で、もちろん、王族であるバーナード殿下には一応立ち入る権利がある。しかし、だからと言って簡単に立ち入れる場所ではなかったはず。

（それに、ずるいわ！　私だって禁書庫にある書物には興味があるのに！）

思わず私もエドガー殿下と同じくバーナード殿下を睨みつける。けれど、それでもバーナード殿下はいまいち事の重大性を理解できないようで、困惑を深めているようだった。

「た、確かに、勝手に禁書庫にミーナを入れたのは申し訳ありませんでした。しかし、ミーナが慣れない王城の空気に気疲れし、人目のない場所で少しだけ休みたいというから、その時にたまたま近くにあった禁書庫にほんの少し立ち入っただけで！　それがなぜ病がどうのという話になるのですか？」

簡単には立ち入れないとはいえ、禁書庫の鍵は王族の魔力に反応するようになっているのよね。普通、バーナード殿下がこれだけ好き勝手にしていたら魔力に制限の一つや二つ、かけるんじゃないのかしら？

ああ、きっと、バーナード殿下に甘い陛下が、彼の魔力を制限することを怠ったんでしょうね……。

まあ、それなりの量の魔力を注がなくては開かないから、読書嫌いのバーナード殿下が、わざわざそこまでして禁書庫に入ろうとするとは思わなかったんだろうけれど、それにしても管理が杜撰《ずさん》すぎる！

だけど、一番はやはり、王族の自覚もなくミーナ様をそんな場所に招き入れたバーナード殿下よね。

エドガー殿下は、なおも冷たい目でバーナード殿下を見つめながら続ける。

「今回、突然発生し広まった病について、私は内密にある人物の協力を得て詳細を調べた。病はどうして発生したのだと思う？　なぜ、あれほど目立つことが好きだったミーナ・ノレイト男爵令嬢は、社交の場に一切その姿を見せなくなったと思う？」

確かに、ミーナ様は夜会などの場が大好きだったわよね。美しく女性としての魅力に溢れる彼女は、どのような場でも男性に囲まれて華やかに笑っていたように思う。

私はレーウェンフックにいたから、最近の彼女の様子は知らないのだけれど。あれほど好きだった夜会などに参加しなくなったのだとしたら、確かに不自然かもしれないわ。

「それは、ミーナは俺に別れを告げ、別の男と歩むことを選んだのだから、一度は愛した相手である俺に気を遣って、しばらくその身を潜めているのだと……」

「あの女がそのような慎ましさを持っているわけがないだろう。もしもそうならば、ルシル嬢に冤罪など着せようなどと、考えつきもしなかっただろうね」

待って、病の件ももちろん気になるけれど、ミーナ様はバーナード殿下を捨てて、別の男性を選んだの!?　その話もとっても気になるんですけど！

だけど、我慢、我慢。今はとてもじゃないけれどそんなことを聞ける雰囲気ではないわ。

「ミーナ・ノレイト男爵令嬢が姿をくらましたのは、呪いの影響でとても人前に出られる状態じゃなくなってしまったからだよ。呪いには代償が必要だ。軽いものならば魔力を注ぐだけで使えるが、ノレイト男爵令嬢は魔力が多くないからね。だから、代償を払えず、溢れた呪いの力が人々への害になって広がってしまった。今回の病は、ノレイト男爵令嬢が安易に呪いに手を出した影響で生まれたものだ」

「呪い……？　ミーナが、まさか……」

隣に座るフェリクス様の体がぐっと強張るのを感じて、私は彼の手にそっと自分の手を添えた。

思わぬところで呪いなんて話が出てきたわね……。

だけど、なるほど、と思う。王都の民はレーウェンフックの人たちに比べて症状が軽かったのに、なぜかバーナード殿下だけが命の危機に陥るほど重症化していたことを思い出したのだ。

ミーナ様が呪いに手を出し、そのせいで病が生み出されてしまったのだとしたら、最近まで彼女の一番近くにいたバーナード殿下に、誰よりも強くその症状が出たことも頷ける。

「バーナード、お前が禁書庫にあの女を入れたことで呪いについての書物を読み、知識もなく安易に手を出した結果、国を窮地に追い込む病が流行した。幸い皆無事だったからよかったなんて道理は通らない」

それが病流行の経緯ならば、確かにバーナード殿下の罪は重い。王族なのに軽はずみな行動が、民を危機に曝《さら》したのだから。死人が出ていれば死刑もありえたというのも無理はないことかもしれないわね。

「お、お待ちください！　それではどうして私までっ!?」

突き付けられた事実を受け入れられない様子のバーナード殿下をよそに、カネリオン子爵がそう叫ぶ。

「カネリオン子爵、あなたは随分健康なようだな」

「はっ……？」

「恐らく、病に最初に罹ったのは、バーナードが寵愛していたノレイト男爵令嬢にもいいように扱われていたあなただ。その病をまき散らしながらレーウェンフックに立ち入ったのはあなたなのだよ。レーウェンフックは国防の要でもある。これはノレイト男爵令嬢とともに、国を故意に危機に陥れようとしたということに他ならない」

「そんなっ！　そのような証拠も何もない話、こじつけにすぎないではありませんか！」

実際、今エドガー殿下が言ったのはこじつけの部分も大きい。だってミーナ様は、そもそも呪いに手を出したことそのものが罪に当たるとはいえ、病を広めようとしたわけではないのだろうし、カネリオン子爵にいたっては本当に何も知らなかったのだろうから。

けれど、きっとそういう問題ではないのだ。カネリオン子爵も、バーナード殿下も、エドガー殿下の治世には厄介者でしかない。

きっと、そういうことなのだ。

（確かに、為政者としてはその判断になるのも無理はないわよね……。今回はたまたまでも、少しでも権力を持たせていれば、いつか本気で厄介事を引き起こしそうだもの）

「確かに目に見える証拠はないが、真実はもう分かっている。私には権力があるからね、証拠などなくとも、それで十分なんだ」

殿下！　暴君みたいなこと言ってますよ！

けれど、そう言ったエドガー殿下は、確かに自分が述べた結論に確信があるようだった。

恐らく、さっき殿下が言っていた、病の詳細を調べるのに協力してもらったという人物の能力で、すでに真実は明らかになっているのだろう。一体どんな人にどんな協力をしてもらったのかが気になるわよね。

そんなことを思いながらも、私はカネリオン子爵がレーウェンフックに現れた時のことを思い出してみた。

『カネリオン子爵。いい加減その口を閉じた方がいい』

『ひっ……!?』

私をルシル・グステラノラだと気づかないままに散々私の悪口を言った後、フェリクス様に威圧されて――。

『と、とにかく、このことはバーナード殿下にもお知らせしておこう。ルシル・グステラノラはどうやらこの呪われた地でも随分惨めな扱いを受けているようだと!!』

そんな、よく分からない捨て台詞を吐いて、私が勘違いを正そうとすると、ものすごいスピードで逃げていったのよね――。

『いえ、あの、そもそもルシルは私で……』

『ゴ、ゴホッゴホッ！　わ、私はなんだか体調が優れない。しっ、失礼する！』

――あ、ああっ!?　していたわ！　確かにあの時、ゴホゴホっと咳《せき》をしていた！

その場の空気を誤魔化すために体調が優れないふりをしたのかと思っていたのだけれど、まさかあれは今回の病の症状だった!?

そ、そう。確かにあの病は、呪いのせいで症状が重かったレーウェンフックは例外だったものの、症状が出てから重症化するまで時間がかかるようだったものね。

そう、あの時にはもう、そうだったの……。

ということは、途中の街で男の子の友達の猫ちゃんが言っていた、『あの子苦しいのに、あのやなヤツが病気おいていった！』というのも、カネリオン子爵のことだったのかもしれないわね……。

結局、バーナード殿下は茫然自失状態、カネリオン子爵はなおも「理不尽すぎる！」と嘆きながら、二人はエドガー殿下付きの騎士に連れられて行ってしまった。

この後は、決定したという処分が正式に下るまで、軟禁状態になり各々の知る状況や経緯などについての聞き取りが行われるらしい。

なんだかあっという間だったし、意外な事実も分かって、驚いちゃったわね。

騎士達に指示を出すエドガー殿下を見ながら、ぼうっとしていると、フェリクス様が私のことを気遣うように見てきた。

「ルシルか？　大丈夫か？」

「え？　ええ、もちろん大丈夫ですよ」

しかし、私がそう答えても、フェリクス様はどこか不安げな表情を崩さない。

「ルシル……あなたは、バーナード殿下についてどう思っている？」

おっと、これはまた唐突な質問ね。

バーナード殿下についてかあ……。そうだなあ。

「あんなに人目も憚らずにイチャイチャイチャイチャとしていたくらい大事にしていたミーナ様に捨てられていたなんて、ちょっと可哀想だなあと思っていますかね」

だって、ミーナ様ったら、別の男性に乗り換えたって言っていたわよね？　確かに彼女は魅力的な人だったけれど、あれだけバーナード殿下と公開イチャイチャしていたのに、次のお相手の男性の方もなかなか勇気があるわよねぇ。

そんな風に、他人事として感想を抱いていたのだけど。

「傷ついて、いないのか？　その、あなたがバーナード殿下に受けた仕打ちはあまりにもひどかっただろう」

それは、きっとこれまでの私の置かれていた状況に加えて、今回バーナード殿下が、化粧と衣装と佇まいが変わっただけの私をルシル・グステラノラだと認識できなかったことも含めて言っているのよね。だってつまり、それほど私に興味もなく、蔑ろにしていたという事実が浮き彫りになった形なわけだから。

しかし、それについてあまりにひどすぎない？　と驚きはしたけれど、それはバーナード殿下の認識能力に対しての感想であって、私の気持ちとしては別に全然問題ないのだ。

なぜなら。

「正直なところ、私もバーナード殿下にあまり興味がなかったですからねぇ。今まで婚約者の立場として、必要だから苦言を呈したり、状況にうんざりすることはありましたけど。特に傷ついたりはないですね」

そう、蔑ろにされて傷つくのは、大切にされたいという期待があるからだもの。

例えば最初は大事にされていたのに、心変わりによって見向きもされなくなったのだったとしたら、それはさすがに辛いし、それまでの思い出ができてしまっている分悲しかったかもしれない。

だけど、私とバーナード殿下の間には最初からそういう温かい気持ちになるような何かもなかったのだから。

ふふん！　残念ながらそんなバーナード殿下に、私のことを傷つけることは到底無理だというものよね！

あら？　そう考えると、長年婚約者だったのに、私の方も少し薄情すぎるかしら？

「……あなたはバーナード殿下に心を寄せていたのではないのか？」

「私が？　ひょっとして、私がバーナード殿下のことを好きだったのじゃないかと言っていますか？　ええっ!?　まさか！」

どこをどう見たらそんな発想が出てくるのやら？　お父様の命もあって、確かにバーナード殿下に好かれようとはしていたけれど、私の気持ちとして彼を好きだったことは一度もない。

だって、私のことを大事にしてくれないような人を、どうやったら好きになれるというのだろう??

私のことを大事に思ってくれる人が他にいるのに、私を大事にしないバーナード殿下に明け渡す心なんて、欠片も存在しないわよね。

（ああ、でも、ヒナコはいつも言っていたわよね。恋はするものじゃなくて、落ちるものなんだって）

私には大好きな人もたくさんいて、たくさんたくさん愛して愛されてきたけれど、そういう恋愛としての愛情を抱いたことは、実のところまだ一度もなかったりする。

すると、もしもいつか私が恋に落ちる瞬間が来た時に、相手が私に興味など微塵もなかったとして、それでも湧き上がって、溢れ出て、止められない愛に翻弄される日も来るのだろうか？

（うーん、想像できないわね。それに、ヒナコは夢見がちだったから、大げさに言っていたのかもしれないし）

「そうか……やはり、噂は全て噂でしかなかったんだな……そうか、ルシルが彼に興味がなかったのなら、よかった……」

フェリクス様は何やら小さな声でブツブツ呟きながら髪の毛をくしゃりとしている。なんだかよく分からないけれど、その表情がどこか安堵しているように見えるから、まあ大丈夫だろう。

さっきは呪いの話が突然飛び出してきたものだから、緊張していたのかもしれないわね。

そこで、私はふと思い出した。

「あ、でもさっき、最後にバーナード殿下のいいところを一つ、見つけました！」

「殿下のいいところ？　おまけにさっき、だと？」

怪訝な顔をするフェリクス様に、私は満面の笑みで教えてあげる。

「バーナード殿下、どうやらミーナ様にこっぴどく振られたようだったし、おまけに殿下の責任が大きく自業自得とはいえ、彼女が呪いに手を出したことで結果的に自分も王族ではなくなってしまうわけでしょう?」

「まあ、そうだな」

「でもね、殿下、ミーナ様のことを一度だって悪く言わなかったんです」

あのプライドが高くて自分本位なバーナード殿下ならば、裏切られたと怒り出してもおかしくないと思ったけれど、呆然とはしていたものの、決してミーナ様のことを悪く言わなかったのだ。おそらく今後も言わないのではないだろうか。

私はちょっと見直しましたよ。私にはとんでもない婚約者だったことは事実だけれど、私の知らない、そういう一面もあったわけよね。

どれだけ嫌な思い出がたくさんあっても、一つだけでもいいところを知っていると、いつか時間が経った時に、よく思い出すのはそのいい部分だったりするのだ。

まあ別に、それで好きになることはないのだけど。

(バーナード殿下のことが、ただただ嫌なだけの記憶にならなくてよかったわよね)

呑気にそんなことを考えていると、エドガー殿下が戻って来て、私たちの前にもう一度座る。

「さて、色々と申し訳なかったね。病についての真相を、君たちにも知っておいてもらおうと思ってさ。それでは本題に入ろうか。ルシル嬢、君に対する褒美は何を望む?」

そう、本題はこれだったわ!　気を取り直して、私はしっかりとエドガー殿下と目を合わせた。

「私は、大賢者エリオス様にお会いしたいです。もしもエドガー殿下が彼の人と繋がりを持っているのなら、どうか会わせていただけませんか？」

繋がりなどない可能性だってもちろんある。もし繋がりがあったとして、断られる可能性もなくはない。

ダメと言われたら、その時は少しでも情報がもらえないか交渉して、あとのことはまた改めて考えよう。

そう思いながら、お願いをして見たのだけど。

「おや、君はエリオス殿のことを知っていたのか。王族の相手の教育には組み込まれていないはずだったと思うけど」

エドガー殿下はなんでもないことのようにそう言った。

やっぱり、王子妃教育で情報操作がされていたようだわ。そして、この言い方は繋がりめちゃくちゃありそうよね！

どうか会わせてもらえますように！　と、確かにそう願ってはいたのだけれど、続いてエドガー殿下から返ってきた返事は、予想の斜め上をいくものだった。

「それにしてもタイムリーだね。彼はちょうど王城に来ているから、君の都合が悪くないなら、レーウェンフックに帰る前に会っていくかい？」

えっ。

（え、えええぇっ!?）

大賢者エリオス様って、ほとんど人前に出ないような人なのよね？　そんな軽い感じで、会わせてもらえるものなの!?

「あの、大賢者エリオス様って、あまり人前に出ないと聞いたんですけど……」

情報源は私の大事な大親友であり、『運命の英雄』マニアのアリーチェ様だ。この話は有名だと聞いたし、周知の事実だということではないのかしら。

私の質問に、エドガー殿下はさらりと頷く。

「そうだ。王家は彼の居場所も動向も把握していたが、大賢者殿は私たちにも決して会おうとはしなかった。しかし、なぜか今回の病の件には興味を持ったらしくてね。ミーナ・ノレイト男爵令嬢の呪いが発端だとつきとめたのも彼の力だよ」

なんと！　さっきエドガー殿下がおっしゃっていた協力者って、まさかのエリオス様だったのね!?

「それにしても、エリオス様は今もまだ王城にいらっしゃるんですね」

「ああ。そうだな、君には全て話そうか。……バーナードには酷だろうと思って言わなかったけどね、ノレイト嬢は呪い返しにあっている。だから人前に出ることもできなかったし、今は王城のとある場所に軟禁しているんだけど。ちなみに、呪われかけたのは君だよ、ルシル嬢」

「ええっ!?」

（わ、私？　ミーナ様、私を呪おうとしたの？）

——呪い返しとは、呪いをかけようとした術者が呪いに失敗し、自分がその身に呪いを受けてしまったり、かけた呪いが解かれて自分に返ってきたり、とにかく、呪いに手を出した自分自身が呪われてしまうことだ。

多分だけれど、私にはクラリッサ様がかけてくれた魔法があるから、ちょっとやそっとの呪いでは効かないと思うのよね。だからこそ、ミーナ様は呪い返しにあってしまったんだろうと思う。

ただでさえ、魔力が少ないことで代償が足りず、病が生まれてしまったという話だったし、聖女クラリッサ様の力になど到底勝てるわけがないもの。

きっと、ミーナ様は呪いのことを詳しく知らないまま、安易に手を出してしまったのね。

それにしても、バーナード殿下に嫌われ、辺境に追いやられた私をどうして呪いたいだなんて思ったのかしら？　放っておいてくれれば、きっともう会うこともなかったはずなのに。

そんな私の心を読んだかのように、エドガー殿下が話を続ける。

「君がレーウェンフックでどうやら楽しく過ごしているということを、どこからか耳にしたらしいね。それで許せなくなったんだろう」

「えぇっと、彼女には関係のない場所での出来事なのに、ですか……？」

確かに私は楽しく過ごしていたけれども。それでどうしてミーナ様が「許せない」などという気持ちになるのかしら。

「ノレイト嬢はきっと、バーナードのことを本気で想っていたわけではないんだろう。彼女はただたんに、ルシル嬢、君のことが羨ましくて、妬ましくてたまらなかったんだろうよ。だから君の婚約者だったバーナードにも近づいたし、冤罪を着せて君を陥れようともした。そして、君がいなくなれば他の男にも走ったんだろうね。愚かなことだ」

エドガー殿下が私の疑問に答えるようにそう言うけれど、私は思わず首を傾げてしまう。

ミーナ様は、美しくて、華やかで、明るい方だったわよね。いつも社交の場で人に囲まれていたし、ご両親のノレイト男爵夫妻も彼女を大事にしていると耳にしたことがあるわ。身分こそ男爵家のご令嬢で高くはなかったかもしれないけれど、そんなことは些末《さまつ》なことだものね。

それなのに、彼女は一体、私のどこが羨ましかったのかしら？

今でこそ毎日が幸せで楽しくて仕方ないけれど、リリーベルの記憶を取り戻す前の私は、今の私が振り返ってみても、そこまで幸せそうに見えたとは思えないのだけど。

「……本当に幸せな者はね、他者の幸せに目を奪われたりしないんだ。自らの幸せを大事に慈しむことに時間を注ぎ、わざわざよそ見をして人を羨んだりするような真似をしないから。君を見ていると、そのことをよく思い知らされるよ」

うーんと、つまり、『君は幸せそうで何よりだよ』っというようなことを言いたいのかしら？

それならば答えは自信をもってイエスだわ！

そうよね、きっとミーナ様にも、ミーナ様にしか分からない何かがあったのよね。私はミーナ様じゃないのだから、それが分からなくて当然だし……本当のミーナ様の心を、理解してくれる人が側にいてくれればいいのだけど。きっと、ミーナ様も私に分かってもらいたいなんて思わないだろうし、あとは彼女自身の問題よね。

（本当に呪われてしまっていたら、話は変わってくるけれど。私は呪いをかけられそうになったこ

とすら気づかなかったくらいだし）

エドガー殿下はコホンと軽く咳ばらいをすると、話をエリオス様に戻した。

「それで、大賢者殿にノレイト嬢の呪いを解いてもらう約束になっているんだ」

「ええっ。大賢者エリオス様は、呪いを解くこともできるんですか？」

さすが、『大賢者』と呼ばれる人ね！　それで、エリオス様は王城にいらっしゃるから、そこに私たちも少しだけならお邪魔してもいいという話のようだった。

「けれど、いくら今回は例外的にお力を貸してくださっているとはいえ、元々は人前に出ることを好まない人なのでしょう？　急に私やフェリクス様がお会いしても大丈夫なのでしょうか？」

「ああ。大賢者殿も、今回の薬を作った人物に興味を示していたからね。君たちにならば喜んで会うんじゃないかな？　というか、聞いてみてもしも嫌だと駄々をこねられても困るから、事前に話を通さずに会ってしまった方がいいと思うよ」

大賢者とまで呼ばれる偉大な人なのに、そんなことでいいの……？

それに、『駄々をこねる』って。エドガー殿下、まるで小さな子供の我儘にうんざりするような風に言うんだもの。少し困惑してしまうじゃないの。

それで気になって、彼の人となりをエドガー殿下に尋ねてみても、「きっと驚くから、楽しみにしておいて」と悪戯《いたずら》っぽく返されるばかり。

大賢者エリオス様……一体、どんな人なんだろう？

そろそろ大賢者エリオス様による、ミーナ様の解呪も終わる頃だろうから、このまま会いに行ってもいいと言われて、私はエドガー殿下のそのお言葉に甘えることにした。

「なんだか、急展開だな……」

フェリクス様はどこか呆然としているようで、戸惑うように呟いた。

そうよね、急展開よね。まさかこんなにすんなりと会えることになるとは思わなかったもの！

王家に恩は売ってみるものだわ。

何より、エリオス様はこの病の件に興味を持って、珍しく王家に協力を申し出てくれたと言っていたし、悪いことの中にも必ずいいことが隠れているものよね！ もちろん、病なんて流行らない方が良いに決まってはいるけれど。

（大賢者エリオス様って、どんな人なんだろう？）

フェリクス様、エドガー殿下と一緒にエリオス様がミーナ様の解呪を行っているという部屋へ向かいながら、私は想像を巡らせる。

『大賢者様』って肩書だけで連想すると、白い髪で白いお髭のお爺さんとか？ うふふ！ それってヒナコがいつか言っていた『センニン』っていう人のイメージに似ているわよね。

確か魔塔と呼ばれるとっても高い塔を建てて、そこに一人で住んでいるとも言っていたから、とても痩せて顔色の悪い、どこか陰のありそうな男性っていう想像もなかなか悪くない気がするし。

そうかと思わせておいて、『魔法より体を使う方が絶対に得意ですよね？』なんて言いたくなってしまう程、筋骨隆々で体の大きな人かもしれないわ！

エドガー殿下が「きっと驚く」というくらいだものね。想像が広がって楽しみで仕方ない。

そんなことを考えながら歩いていたのだけれど、ふと視界の隅に、遠くの廊下を誰かが通り過ぎる姿が映り込んだ。

私は思わず驚いて、ハッと息が詰まる。

(今のは……)

思い浮かんだその姿に、いてもたってもいられなくなった。

「エドガー殿下、フェリクス様、先に向かって、エリオス様が万が一帰ってしまわないように、引き留めておいてください！」

「えっ、ルシル嬢？」

「ルシル、どこへ!?」

二人の驚きの声を背に受けながら、私はもうすでに駆け出していた。もちろん、私の側についてくれていた殿下付きの騎士様は付いてきてくれている。

ああ、ここが王城の中でも自由に出入りできる、解放された庭園の側でよかったわ。そうでなければ、こうして追いかけてみることもできなかった。

ううん、そうでなければ、ここで見かけることもなかったはずだ。

彼女は庭園に来ていたのだろうか？

サラサラと風になびく美しいストロベリーブロンド、華奢な身体、ふわりと花が舞うような明るい雰囲気……一瞬だったけれど、あれはきっとそうに違いない。

現実では初めて見る人。けれど、強い感情で見続けていた人。私にとっても、忘れられない特別な存在。

（さっきのは――エルヴィラ・ララーシュ！）

そのうち出会うことになる、フェリクス様の運命のヒロイン！

けれど、さっきエルヴィラらしき人が消えていった廊下の角の向こうには、もうその姿はなかった。どこへ行ったんだろう。

（そもそも、今私がエルヴィラに会ったって、どうしようもないのだけど……）

予知夢で見るのは、ある一定の期間の出来事で、おまけに全ては私の視点で見た未来の出来事だけ。だから、私は予知夢の中で知らなかったことは知りようがない。

つまり、エルヴィラとフェリクス様が、実際にはどこでどんな風に出会ったのか、私は知らないのだ。

（予知夢では、すでに二人が親密な関係になっていて、私の中の怒りの感情に潜む情報にしか、二人の出会いのヒントはなかったのよね）

婚姻から一年ほど経った頃に現れるはずだから、どちらにしろ今ではないはずだ。

それなのに、なぜだか分からないけど、どうしても今この場でエルヴィラを追いかけるべきだという気がしてしまった。

（結局、見失ってしまって、追いかけられなかったけど……）

まあ、見失ってしまったものは仕方ない。というか、もしも追いつけていたとして、私は一体どうするつもりだったのかしら？

きっと、私が何かをしなくとも、エルヴィラはいつかフェリクス様と出会い、彼を救うのだ。

この場合救うというのは呪いのことではなく、呪いによって傷つき、臆病になった彼の心を、である。

それは、例えば私が彼の呪いを解いたとしても、変わらない運命なんじゃないかと思うのよね。

「突然勝手な行動をとってしまって、申し訳ございません。もう大丈夫です」

当たり前だけど、私がそう言うと、ついてきてくれた騎士様も不思議そうな顔をしている。本当に悪いことをしてしまった。

私はそのまままきた道を戻り、騎士様に案内されて、本来の目的の部屋の近くにたどり着いた。訳ありの貴族を軟禁するための場所ということで、どうやらこのフロア一帯に魔法がかけられているらしかった。

ちょっと意識して、詳しく探ってみる。

……防音、衝撃軽減、侵入者感知などなど……うーん、そこまで難しい魔法はないみたいだわ。

フェリクス様たちはすでに部屋の中にいるらしい。私も急いでそちらに向かう。

と、魔法のかけられている一帯に足を踏み入れた途端、ビリビリと何か強い力が渦巻いているのを、肌に感じた。

何かしら？　私は思わず眉をひそめる。解呪……は、もう終わっているのよね？　それにそもそもそういう類のものではない気がする。

案内してくれている騎士様は、何も感じていないらしい。

しかし、案内された先の、部屋の扉を開けた途端、さっきまでの比ではないほどの直接的な衝撃が嵐のように吹き荒れて外に飛び出してきた。

「ええっ!?」

部屋の隅に、逃げるようにしてミーナ様がうずくまり、その側にはエドガー殿下が腰を落として膝をついている。いつでも動き出せる臨戦態勢だ。

そして、その前にはフェリクス様が立ち塞がり、魔法障壁を展開して二人のことを守っているようだった。

（フェリクス様って、守りの魔法が使えるのね！）

だけど、なかなか辛そうな様子だわ。

そう感じた私は、フェリクス様が対峙している、強い衝撃の源に目を向けた。

……広い部屋の真ん中で、男の子がうずくまり、その周りに莫大な魔力が渦巻いている。

これは、魔力暴走だわ。

ええっと、どういう状況？　何があったの？　というか、大賢者エリオス様はどこに行ったの!?

「う、ううッ、ううう……」

苦しそうにうめく声を聞いてハッと我にかえる。

そうよね、考えるのは後にして、とにかく今はあの子を助けてあげなくちゃ！　だってあんなに苦しそう！

私は男の子の方にスタスタと近寄っていく。

フェリクス様が焦ったように私の名前を呼ぶので、とりあえず彼と目を合わせて頷いてみせた。

「――っ、ルシル！」

フェリクス様、私は大丈夫ですよ。むしろフェリクス様の方が、汗をかき、苦しそうに少し顔を歪めて、とっても辛そうに見える。男の子が溢れさせている魔力があまりにも多くて、フェリクス様が押されているのだわ。

私は本当に全然問題ないので、あとほんのちょっとだけ頑張ってくださいね……！

私は男の子のそばにたどり着き、そのすぐそばに膝をついて座り込むと、その子のことをふわりと抱きしめた。

「大丈夫、大丈夫。すぐに落ち着くわ」

私が触れた瞬間、びくりと肩を揺らしたその子は、それでも大人しく私に体を委ねた。そんなその子を、優しく抱きしめてポンポンとしてあげる。

なんだか眠れない夜に、愛する飼い主たちがみんな、リリーベルに優しくそうしてくれたように。

私はこれからも、愛された記憶とともに生き、愛されて幸せだった分も、人間になった今世で、誰かに返しながら生きていくんだわ。

そんなことを、ふと思いながら。

やがて、溢れる魔力が少し小さくなり始めた頃、男の子は震える顔をゆっくりとあげた。

不安げに揺れる瞳が、私を見つめる。

そして、その子は呟いたのだった。

「――リリーベル…………⁉」

『暫定婚約ライフ』の裏側で

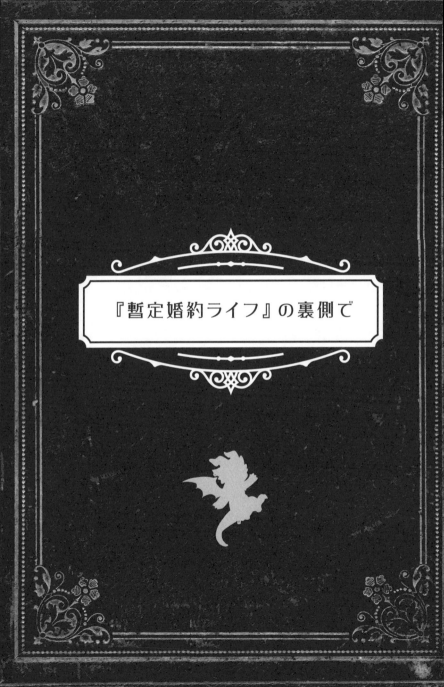

運命の英雄たちによる、楽しいルシル鑑賞会

どこか荘厳な雰囲気の漂う、果てもない真っ白な空間。その場所の周りは霧のようなもので包まれていて、世界から切り取られた空間であることを物語っていた。

空間には白いクロスにつつまれた大きな円卓があり、それを囲むように置かれた椅子に数人の男女が座っている。女性が四人、男性が三人だ。

ここは、世界の理《ことわり》から切り取られた特別な空間。

この場所にいるのは、いずれもリリーベルを愛してやまない七人……地上では『運命の英雄』と称され、今なおその名をとどろかせている存在たちだった。

大魔女アリスを筆頭に、大聖女クラリッサ、料理人兼S級冒険者マシュー、大商人でもある錬金術師コンラッド、大国の王女ローゼリア、異世界人ヒナコ、勇者エフレンと続く。リリーベルと出会った順に、時計回りに席についている。

円卓の中心には大きな水晶が浮かび、その周りを揺蕩《たゆた》う水が包み込んでいる。彼らはその水晶を

覗きこんでいた。その中には地上の光景が映し出されている。彼らが見ているのは前世の記憶を取り戻し、自由に振る舞い始めたルシルの姿だった。

円卓に着き、水晶を見つめているうちの一人、黒髪の女性――ヒナコが、場違いなほど明るい声で興奮したように叫ぶ。

「あああ！　ルシルちゃんいとかわゆし！　いつ見ても最高！　リリーベルがあんなに可愛い猫ちゃんだったんだから、人間になってもそりゃあ最高に可愛いに決まっているわよね！」

興奮気味に頭をブンブンと振っているせいで、長い黒髪がばらばらと無造作に揺れる。その様子を、斜め前に姿勢よく座るクラリッサが、優雅にティーカップを持ち上げながら冷ややかに見つめている。

「ヒナコ様、落ち着いてくださいな。わたくしのあの子が人を惑わせるほど可愛いせいでおかしくなってしまうのは仕方がないとはいえ、全く、あなたときたら本当にはしたないのですから。ヒナコ様といた頃のリリーベルはさぞ苦労していたことでしょう……」

はあ、とこれみよがしにため息をつきながらそう言ったクラリッサに向かって、ヒナコはムムッと唇を尖らせた。

「クラリッサ様、今のは聞き捨てなりませんね！　『わたくしのあの子』って、いったいどういうつもりで言ってます～？」

「あら、そのままの意味ですけれど？」

じとりと睨みつけるヒナコと、ほほほ、と余裕の笑みを見せるクラリッサ。そんな二人の様子に、困った顔をしたコンラッドが両手を顔の前に広げて、なんとか穏便に仲裁をしようと試みる。

「まあまあ、二人とも仲良くしようよ。ぼくらは皆リリーベルを愛し、あの子の生まれ変わりであるルシルのことも心の底から愛している者同士なんだから……ね？」

コンラッドは必死だ。だって、このままピリついた空気のまま過ごすなど居心地が悪くて耐えられない。平和に、穏便に、和やかに過ごしたい。

だからこそ、本当は自分も、「ルシルの一番はこのコンラッドなのだ」とうっかり口にしてしまいそうな本心を表面には出さないようにしているわけで。

「そうだ、ルシルはオレたちそれぞれを家族だと思っているだろう？　全員がリリーベルの、ルシルの家族だということは、つまりオレたちも皆家族だということだ！　わははは！」

コンラッドに賛同して見せたのはマシューだ。腕を組み、自分の言葉に大きく納得して豪快に笑っている。

リリーベル、そしてルシルを溺愛するあまりに互いがライバルだと思っている英雄たちの中、これは一見すると、なんとも懐の大きな態度だった。

ただ、「この顔ぶれが全員家族ならば、自分の立ち位置は恐らく父親かなあ？」とか、「それならば、末娘ポジションのルシルは、きっと自分のことが一番好きだろうなあ。目に入れても痛くない程可愛がって溺愛している父親を好きにならない娘などいないのだから！」などという心の余裕があるからこその態度であるとは誰も思っていない。

「というか、皆で散々喧嘩したあげく、最終的に話して決めたじゃない？　リリーベルへの愛情の深さを競い始めたら、この場で戦争が始まってしまうから、この件についてはもう口に出すのはやめましょうって。だから、今のはクラリッサ様が悪いと思うわ！　あーん、それにしても、フェリクス様ってとっても素敵よねっ？　私も大好きなルシルの隣で、一緒になってイケメンにきゃーきゃー言いたいわ！　まあ、ルシルへの態度はいただけないけれど」

ローゼリアが頬杖をつき、うっとり水晶を見つめながら熱っぽくこぼす。ちょうど水晶の中では、ルシルがフェリクスと初対面を果たしたところだった。

と、そこへすかさずエフレンが口を挟む。

「うーん、ローゼリア姫。ここにも僕というイケメンがいるのだから、触れることもできない水晶の中の男にばかり夢中になられてしまっては寂しいな。僕なら、今すぐにでも君を抱きしめて甘く愛を囁いてあげられるんだけど」

「あ、そういうのはもうこりごりだから、求めてないです」

生前のローゼリアは恋多き女であり、そして傾国の美姫と呼ばれながらもあまり男を見る目には恵まれなかった。そのため、軟派なセリフを軽々と口にするエフレンのような男に近寄っていいことはないと学習済みである。

それに、やっぱりリリーベルのことを一番に愛しているため、男という以前にライバルでもあるエフレンのことなど眼中にないのだ。

生前のエフレンは勇者として絶大な人気を誇るとともに、実は生粋《きっすい》の女好きでもあった。リリーベルも何度その様子に呆れたことか分からない。

すげなく拒絶されたエフレンは、全く気にした風もなくにっこりと微笑むと、すぐに視線を水晶の方に戻した。

そしてその中に映る、ルシルを見て、目を細める。

ルシルは今日、レーウェンフックにその身を移した。ちょうど、初めて通されたレーウェンフックの離れにいるのが一人きりだと気づき、屋敷中を探検し始めたところだった。

「それにしてもこの国の王子はなんとも愚かだね。こんなに美しく、愛らしく、おまけに力まで宿している僕のルシルの何が気に入らなかったんだか。フェリクス・レーウェンフックもまたしかり。大陸中の令嬢に愛を求められたこの僕でさえ、ルシルほどの女性は知らないというのに」

「はい、アウトー！　エフレンさん、アウトです。『僕のルシル』とか、二度と言わないでくださーい！」

「あはは、ごめんねヒナコちゃん。ついうっかり本音が」

結局、この場にいる誰もが「自分こそがリリーベルの、ルシルの最愛である！」という主張を曲げる気など微塵もないと気づいたコンラッドは、もう一度弱々しくため息をついた。

「はあ~……こんな時、リリーベルを抱きしめて眠ると癒されたよな……」

弱りはてたコンラッドをよそに、マシューとヒナコがはしゃいだ声を上げる。

「おっ、ルシルが料理をしているじゃないか！　さすが我が娘、オレの料理をずっと見てきただけあって、初めてのわりにはなかなか筋がいい」

「はわわわ！　見て！　あのお菓子は私がよく作っていたのよ！　ルシル、作り方も全部覚えていたのね！」

そのうちに、クラリッサも満足そうに頷いた。

「ああ、ルシルがアリーチェ様への神の愛に気づきましたね。彼女の心も、ルシルによって救われ、これからますます磨かれて魅力を増していくことでしょう。本当にリリーベルの頃からあの子はそこにいるだけで誰もを救う、尊き存在ですわね」

ヒナコがすかさず相槌をうつ。

「そりゃあ、そうですよ！　だって猫ちゃんは生きているだけで可愛くて、そこにいるだけで価値があるんだもん！　ルシルはそれを知っているから、人間になっても愛されキャラよね」

やっと穏やかになった空気に安堵していたコンラッドは、次の瞬間興奮気味にガバリと立ち上がった。そして早口で捲し立てる。

「ああ、見て、見て！　ルシルが人々を救っているあの万能薬、ぼくが作り出したレシピだ！　それにしても、ルシルは本当に規格外だなあ。リリーベルの頃からそうだったけど。あはは、飲んだら体が光る薬なんて見たことないや！　あれはルシルの特別な魔力を惜しげもなく注ぎ込んだことで起こる奇跡だ。ルシルはさすがぼくのレシピだ、なんて思っているみたいだけど、僕の薬ではあんな風にはいかない。あれはもはや別物だね」

そんな風に、自分との経験を活かして大活躍しているルシルをドヤ顔で褒めたたえる面々をよそに、ローゼリアはにんまりと笑った。

「まあ、フェリクス様ったら、結局ルシルの魅力に抗いきれず、恋に落ちてしまったみたいだわ！　物陰からあの子を覗き見ている時点で怪しいとは思っていたのよ。恋の経験が少なすぎて、自分の気持ちに気がつくのも遅れてしまったみたいね。ああ～あんな風に、ルシルの魅力に見とれる騎士のことまでいちいち牽制しちゃって！　可愛いっ！」

「うわあ～本当だ！　ルシルったらモテモテ！　……だけど、フェリクス様の恋は前途多難に違いないですね……」

ヒナコが渋い顔でそうこぼすと、ローゼリアは不思議そうに首を傾げた。

「あら、どうして？」

ローゼリアは考える。確かにルシルはフェリクス以上に恋愛経験に乏しく、今までの様子を見ていてもとんでもなく鈍いことはうかがえる。しかし、フェリクスもなかなか頑張っているようだし、自分の中に生まれた感情を隠す様子もあまりない。これは時間がたって、その気持ちがますます大きくなれば、なかなか上手くいくのではないだろうか？　と。実際ルシルもフェリクスの見た目は気に入っているようだし……。

しかし、問題はそんなことではないのだと、訳知り顔でエフレンが口を挟んだ。

「まあ、そうだね。ルシルはリリーベルの頃から、僕らや僕らの周囲から、これでもか、これでもかと尋常じゃないほどの大きな愛を注がれてきたんだ。愛されることに慣れている。いや、慣れすぎている」

そこまで言われて、ローゼリアも、はた、と彼らの言いたいことに気がついた。

「そっか……愛されることに慣れすぎちゃっているルシルは、ちょっとやそっとの愛情表現じゃあ、それが特別な意味の愛だなんて、気がつかないということね……!! うわあ……フェリクス様、これはとてつもなく大変よ……可哀想……だけど正直とっても面白い。うふふ！」

好奇心を抑えられないローゼリアをよそに、コンラッドは同情心いっぱいに頭を抱える。

「なるほど……僕らのせいで、フェリクスの超えるべきハードルはとんでもなく高いものになっているわけか……」

「まあ、出だしがあまりにもよくなかったからね。僕らの可愛いルシルの隣に並びたいならば、それくらいの障害は乗り越えてもらわないと、わりに合わないいんじゃないかい？」

エフレンの当然だと言わんばかりの言い草に、全員が「それもそうか」と頷いたのだった。

きゃあきゃあとはしゃぐ面々をよそに、クラリッサがアリスへと話しかける。

「アリス様は、どう思っていらっしゃるのですか？」

これまで一言も発していなかったアリスは、クラリッサを一瞥すると、なにを当たり前のことを聞くのだと言わんばかりに、切って捨てる。

「リリーベルは、至高の存在だ。あの子自体が幸せの象徴であり、運命の『鍵』そのもの。あの子が選ぶ道こそが正解で、そこに間違いなんて欠片も存在しないのさ。だからルシルの恋やら、フェリクスとやらがどうやってあの子を振り向かせるかなんてどうだっていい。私が言いたいのはたった一つだけ」

フン！　と鼻を鳴らしたアリスは口の端を吊り上げる。

「お前たち全員、リリーベルと出会えたのはこのアタシのおかげ！　全員アタシに感謝しな！」

アリスの言葉に、他の皆が沸く。そうだ、確かにアリスが最初にリリーベルに永い永い命を与えなければ、この中の誰も、リリーベルに出会うことすらできなかったのだ。

真っ白で騒がしい空間に、アリスの高笑いが気持ちよく響いていた。

アリーチェのほどけた心

「ルシルお姉様ー！　アリーチェが遊びに来たわ！」

そう言いながら部屋に飛び込むと、ルシルお姉様は満面の笑みで立ち上がり、私を歓迎してくれる。それが嬉しくて、私は飛び込むようにルシルお姉様に抱きつき、スリスリする。

すると、ルシルお姉様は優しい手つきで頭を撫でてくれるのだ。

「ふふふ、アリーチェ様、本当に甘えん坊なんですから」

そう言うルシルお姉様の声は本当に優しくて、まるで女神様みたいだわ！

だけど、私はわざと聞いてみるの。

「ルシルお姉様は、そんな私は嫌い？」

「まさか！　アリーチェ様は可愛くて魅力的で、大好きな私のお友達です！」

絶対に自分を否定したりしないと分かっていて、こうして愛情たっぷりの返事をねだることが、こんなにも幸せなことだなんて、ルシルお姉様に出会うまで、私は知らなかった。

ちなみに言っとくけど、ルシルお姉様が私を甘えん坊にしたのよ？　今までは、人に甘えるなんて絶対にできないと思っていた。だって、甘やかしてくれる人もいなかったんだから、甘え方なんて知るわけがなかったのよ。


お姉様に出会う前の私にとって、家の中は穏やかな地獄だった。

決して虐げられるわけではない。嫌なことやひどいことを言われるわけでもない。

だけど、私を見る目に宿る落胆の色と、諦め、興味を失くしていく空気は、私の心をじわじわと蝕んでいった。

だってね、今思えば、ある意味これはとても残酷なことだと思う。

もしも、何かを言われるのなら。もしも、何かをされるのなら。文句も言えた。戦うこともできた。

だけど、そうじゃないから、『何もない』から、自分を守るために何か行動に移すことだってできやしない。

特別なお兄様と、特別なお姉様の後に生まれた『普通』すぎる私。

お兄様やお姉様が目の前でこれでもかと褒めたたえられる中で、私のことは見えなくなってしまったんじゃないかと思うほど、誰にも気にかけてもらえなくて、その空気がいたたまれなくて、上手く息ができなくて……。

ひょっとして、私がいじけているだけなのかもしれない。そう思う気持ちもあるから、余計にこの気持ちのやり場がなくて、苦しかったの。

——けれど、今はもう違う。

ルシルお姉様に出会って、私の心がじくじくと痛み続けることはなくなった。

だって、今までならば心が痛んで泣きたくなっていたような場面で、頭の中に、必ずルシルお姉様の声が聞こえてくる気がするんだもの。

例えば、お兄様が優秀な研究結果を残し、褒めたたえられている側で。

『まあ、アリーチェ様！　いつも元気なアリーチェ様が、そうして真面目にペンをとっている姿、とっても知的でドキッとしてしまいますね！　可愛い！』

きっと、ルシルお姉様だったらそうやって、なんだか全然やっていることと関係のないことを褒め始めるんだわ。自由なのよね、お姉様って。初めてそういう風に褒められた時に、驚いた私が「普通、この勉強の成果とか、理解度なんかを褒めるものじゃないの？」って聞いてみたら、なんのためらいもなく言い放たれた。

『私、普通じゃないのかしら？　可愛くて素敵！　と思ったから、そのまま口に出しただけだったんですけど……ごめんなさい、何も考えていなくて、つい言ってしまいましたわ』

……何も考えていなくて、思ったままを口にしただけ。そして、それが、私のことを褒めるような言葉だった。

その時に私が受けた衝撃は、なかなか上手く言葉にできない。

例えば、お姉様が魔法を使い、困っている人を助けたのだと賞賛されている側で。

『アリーチェ様といると、とっても元気になれるんですよね。アリーチェ様はお話が上手で、こうして話しているのが楽しすぎるからかしら？　ああ、一緒にいるだけで楽しいって、幸せですね！』

きっと、ルシルお姉様だったら、そんな風に持て余した私の時間を、『楽しくて幸せな時間』に変えてくれる。でもね、気づいているのよ。私が話をするのが上手なんじゃなくて、ルシルお姉様がどんな話の中にも面白さを見つけてくれるからなんだって。

でも、ある時驚いたことがあって。ルシルお姉様、私の話はいつも熱心に聞いてくれるから気づかなかったけれど、時々全然人の話を聞いていない時があるの。たまーにレーウェンフックに来る、ちょっと嫌な感じのどこぞの貴族の嫌みな話とか、後で聞いたら全く覚えていないんだもの！　なんでも、興味がないことはすぐに忘れちゃうし、ついつい聞き流しちゃう時があるんだって。

……私の言ったことは、どんなくだらないことでも、覚えていてくれるのに。

ルシルお姉様にとっては、きっと些細なこと。だけど、私は、泣きたくなるほど嬉しかった。

（大事にされるって、こういうことなんだわ）

そこにいるだけで、認めてもらえて。賞賛の言葉なんてなくても、尊重されていると思える。

今までの私だったら、心がじくじくと痛んでしまっていたような場面で、今は心の中で笑ってしまう。

（ふふふ！　ルシルお姉様なら、きっとこんなことを言いだすんだわ。だって、本当に、自由で突拍子もないんだもの！）

もう、心がやたらと痛むことはない。自分の価値を探して、不安に飲み込まれそうになることもない。

家の中を、地獄だと感じることもない。相変わらず、家族にとっての私は期待のされない、『普通』の子供で、何一つ、前とは変わっていないのに。

変わったのは、私の心。ルシルお姉様のおかげで、私の心は自由になれた。

（それに、私には特別な力もあるんだから！　って思うようになって、なんだか家族の皆を出し抜いているような気分なのよね！）

そんな風に思う私って、嫌な子かしら？

不安になって、ルシルお姉様にそう聞くと、満面の笑みが返ってきた。

「うわあ！　出し抜いている！　そう思うと、ワクワクしますね！」

……そっか、こういうことで、ワクワクしても、許されるんだ。

ルシルお姉様は、自由で、気まぐれで、愛嬌たっぷりで、とっても甘やかし上手。

だけど、あまりにもそうだから、時々なんだか猫みたいって思うのよね。いつも猫と話している姿を見るからかしら？

というか、どうして猫と喋れるのよ？　本当にお姉様ってば魅力に溢れてて、すごく不思議な人だわ！

……ルシルお姉様って、ひょっとして、前世が猫だったとかじゃないのかしら？

（ふふふ！　なーんてね！）

マオウルドットは遊びたい

元白猫リリーベル、現人間であるルシルは薄情者だ。

リリーベルの時だって、気まぐれで、自由で、ずっと側に置いておきたいのに捕まえてられなくて、オレはイライラしていた。それなのに、人間になったら、猫の時よりオレに構わないじゃないか！

一体どういうことなんだよ？　納得がいかなくて、オレは何度もルシルに念話を飛ばした。なかなか返事をよこさないことにもムカついてるから、こうなったらルシルが返事してくるまで送り続けてやる！

『ルシルー、次は、いつオレに会いに来るんだよ？』

『おい、無視するな』

『お前、オレがその気になれば、こんな封印すぐに解けるんだからな！』

『ハア、分かった分かった！　今から来れば、オレの一番立派に育った鱗を触らせてやってもいいけど？』

『オレはお前が寂しいかもしれないと思って仕方なく誘ってやってるんだからな！』

『……そろそろ遊ぶ気になった？』

毎日毎日そうしてたら、ルシルのやつ、やっと来やがった。おまけに結局念話は返してこなかったんだけど、本当に一体どういうことだよ？　薄情にもほどがあるだろう。

だって、あいつ、リリーベルの時以上に闇魔法が得意になってるだろ？　なんたって人間だからな。アリス様仕込みの魔力は、そりゃ猫の体より人型の方が扱いやすいに決まっているよな。

オレなんて、ドラゴンだぞ。誇り高き偉大なドラゴンなんだぞ。つまり、自分の力がでかすぎて、人の魔力を使うなんてかなり高度な技術が必要になるわけ。だって、そうだろ？　人間だって、例えば蟻の顔なんて小さすぎて洗ってやれないだろ。指先よりも小さいんだから。オレがやってることは、それくらいありえないことなわけ。おまけに元々闇魔法なんて一番苦手な属性なんだぞ。どれほどオレが規格外の天才なのか、もっとよく考えてほしいよな。

そんな超絶天才で偉大なドラゴンであるオレが、リリーベルを呼び出すために覚えたのが念話なわけ。だって、あいつ、せめて二日に一回くらいは来ても許してやるよって言ったのに、放っておくと平気で一年以上来ないんだから。ああ、やっぱり、あいつはリリーベルの頃から薄情者だよ。

だけど、やっと来たんだから、楽しく遊んでやらないとだよな。

そう思って、オレは文句も言わずにルシルを歓迎してやった。

それなのに。

「だからね、せっかくだから王都へ行って、どうにか大賢者様にお会いできないかって思っているのよ」

「へー」

「ねえ、ちゃんと聞いている？　大賢者様よ？　すごい人なのよ？　どんな人なのかな～楽しみ！　まあ会えるかはまだ分からないんだけど」

「へー」

「もうっ、気のない返事ばっかり」

だって、興味ないもん。

ルシルがやっと来たから、しょーがねーからいっぱい遊んでやろうと思ってたのに。それなのに、どうしてよく知らない男の話なんて聞かされなくちゃいけないわけ？

もっと、する話は他にもあるだろ。

オレの話とかさ、ルシルの話とか、オレとルシルの話とか！

もしくはどれだけ小さな虫を見つけ出せるかの遊びとか、毒キノコを一緒に食べてどっちが先に耐え切れなくなって解毒するかの勝負とかさあ！

たまにはお前もオレの気持ちを察しろよ。そう思って黙ってくるんと丸くなる。

すると薄情者は、全く構わず話を続け始めた。分かってるよ、オレたちの魔力は繋がってるから、オレの『なんとかのフリ』は全部フリだってすぐにバレるんだ。特に、この前ルシルはオレの魔力もちょっと持っていったから、なおさらだ。

さりげなく、ルシルの匂いを嗅いでみる。うんうん、まだオレの匂い、たっぷりしている。そう簡単に消えやしないけど、多分二千年くらいはもつんじゃないかと思うけど、一応毎回こうして確認しといてやらないといけないよな。

「あー、大賢者様にお会いできたら、なんて自己紹介しようかしら？」

全く、ルシルは大賢者とやらの何に興奮してるんだか。お前、散々大魔女とか聖女とか勇者とか、わけ分かんない肩書持ったやつに飼われてただろーが。

それに、断言するね。大賢者なんかより、オレの方が貴重ですごくて尊くて強くて偉大でカッコよくて素晴らしい存在だって！

「ここは、少しでも『おっ』って思ってもらいたいわよね。うーん、私、病気にはなりません！……は、すごさが分かりにくいか。得意な魔法を披露する!?　……大賢者様の方がすごそうな気がするわよね。ええっと、そうだ！　私、ドラゴンの親友なんです！　これならどうかしら？」

「へっ？」

「うーん、でもそれって、私のすごさじゃないものね――」

お、おい。今、サラッと流していきやがったけど、なんだかとんでもないことを言わなかったか？

親友？　親友って言った？　オレのことを？　偉大なドラゴンであるオレのことを？　へえ？

オレは、知ってるぞ。人間の中じゃあ、親友って特別な存在なんだよな。オレらドラゴンはほとんど同種とともにいることはないからよく分からないけど、特別な存在ってことは、つまり、オレとずっと一緒にいたいってことだよな!?

「まあ？　お前がどうしてもって言うなら？　オレの親友だって自慢しても許してやるけど？」

「――日向ぼっこが趣味です！　は、全然アピールポイントにならないか。って、マオウルドット、何か言った？」

「お前はそういうやつだよ……………」

ハア、本当にうんざりする。こいつはとんでもない薄情者だから、きっと友達なんてろくにいないに違いない。そうなると、やっぱりオレが見捨てちゃ可哀想だよな。

あーあ、封印がもうちょっと別のタイプのやつならな～。体が小さくなって、力も半分以下にされてもいいから、自由に動けるとかさ。そしたら、もっといつでもルシルの側にいてやれるのに。

あとは、例えばオレが人間になれたら、もうちょっとルシルと一緒にいられるのかなー。

だって、リリーベルの時より大きくなったとはいえ、ルシルの体も何かあればすぐ消し炭になっちゃいそうなほど小さくて弱っちいだろ？

ヒナコがいつか言っていたように、オレが守ってやらないとだよな！

「あー、いっぱい話してたらお腹が空いてきちゃった！　でももっと一緒に遊びたいから、マオウルドット、尻尾の先っちょちょっとだけちょうだい！」

「だから、オレは食材じゃないんだって!!」

とはいえ、聞き逃さなかったぞ。もっと一緒に遊びたいってさ！

へへへ、なかなか素直にならないんだから、世話の焼けるやつだよ、本当に。

仕方ないから、これからもお前の友達でいてやるよ！

へへ、へへへへ！

カリスマ猫リリーベル

あごをつんと上げて、一歩一歩優雅に歩く。しゃなりしゃなりと、まるで鈴の音でもしそうなように。ツヤツヤの毛並み、ふわふわでたっぷり長い尻尾、ちょこんと小さなお口に、ちょっぴり湿ったキュートなお鼻。

わたしが歩けば、誰もが振り向く。だって、わたしはこの世で一番美しくて麗しくて高貴で可愛い、カリスマ猫なんだもの！

え？　わたしの名前を聞きたいって？　そうね、それなら、あなたにわたしをこの世で一番特別で尊い名前で呼ぶことを許してあげる！

「みゃーん!!」

わたしの名前は、リリーベル！　カリスマ白猫リリーベルよ！


「えっ？　カリスマ白猫リリーベルと名乗る、見たこともない猫ちゃんが遊びに来ているって？」

私は、厨房でお料理の仕込みをしている途中で呼びに来たジャックの話に思わず聞き返した。

ジャックによると、突然やってきたそのリリーベルなる猫ちゃんは自分を歓迎しろと騒いでいるらしく、困り果てた猫ちゃんたちを代表して、ジャックがこうして私を呼びに来たんだとか。

(歓迎しろと言っているのなら、うんと歓迎してあげなくちゃいけないわよね!)

猫ちゃんによっては、構われることを嫌がる子もいますからね。そうやって希望を言ってくれるのはありがたいことだわ。それに、私、猫ちゃんを歓迎するのは大得意よ!

それにしても、カリスマで、白猫で、名前までリリーベルなんて、まるで前世の私みたいだわ!

ひょっとして瞳の色も青だったりして???

私はこっそり試作してテーブルの上に置いておいた『秘密兵器』を隠し持ち、厨房を出てリリーベルちゃんとやらが待つ裏庭に向かうことにした。この『秘密兵器』、作って置いてよかったわよね! 今こそ試すときだわ! きっと、カリスマ白猫ちゃんにも気に入ってもらえるはずよ。うふふ!

もう、ここの猫たちったら、なんって気の利かない子ばっかりなの!?

このリリーベルが遊びに来てあげたのよ? 歓迎させてあげるって言っているのよ? それなのに、ちょっとボスに聞いてくるとかなんとか言って、ずうっと放置じゃないの! 一体どうなっているのよっ！

わたしがそうやってイライラし始めていると。猫たちが一斉に興奮し始めた。な、なによ……？

「みゃあーん！」

「にゃあおんっ」

「うみゃあ～ん」

う、うわっ……。

そのあまりのはしゃぎっぷりに少しだけ引いてしまう。い、いいえ、元気なのは、いいことよね……？

まあともかく、やっとボスとやらが来たのかしら？

ふふん！　こんなに大猫数の頂点に立つボス猫だもの。きっと大きくて、凜々しくて、かっこよくて頼もしい魅力的なオス猫に決まっているわ！　まあ、実際に顔を見てからでないと何とも言えないけれど、もしもわたしのお眼鏡に適うようなら、つがいにしてあげてもよくってよ！

え？　つがいを知らない？　ダメねえ、本当に、猫って無知で。どうせあんた、わたしのことも知らないんでしょう？　カリスマ白猫リリーベルを知らないなんて、場所が場所なら猫コミュニティで総スカンくらうほど愚かなことよ？

ハア、仕方ないから凡猫のあなたにも分かりやすいように教えてあげるわ。つがいって言うのはね、一生でこの猫だけ！　っていう特別な相手のことなのよ。運命の相手と言い換えてもいいわ。

もちろん、お互いにお互いが一番で唯一だと思っていないとダメよ？

え？　どうして『つがい』って言うんだって？　そんなことまでは知らないわよ。伝説の存在と言われるドラゴンなんかは、普段は同種と群れないけれど、つがいとなる相手と出会ったら、絶対にその側を離れたがらないって話よ。うふふ、そう、ロマンチックでしょ！　ああ、これであなたも少しだけ賢くなったわね。

さてさて、そんな話をしている間に、何やら見知らぬ魔力が近づいてきているわね。

近づいて……え？　ちかづい、て……ちょっと待ってなにこの魔力。こわっ！　怖いんだけど？　なんだか天災をぎゅぎゅっと濃縮したみたいな膨大な魔力が近づいてきていない？　ええっと、待って。本当に待って？　これ、わたしどうすればいいの？　ねえ、どうしてあんたたち、そんなに平気な顔をしているのよ!?

い、いや、こ、こわいー!!

「うみゃううううん！」

思わず顔を前足の間に隠した瞬間、ひょいっと体が抱き上げられた。

「にゃーん？　あらあら、何をそんなに怯えているの？　ひょっとしてこの子たちに意地悪されちゃった？　うふふ、それにしても本当に可愛い猫ちゃんねえ」

……って、人間じゃないの！

ええっ!?　何よ？　まさかこの人間がここのボスなの!?　え？　「さっきから言ってるけど、ボスじゃなくてルシルだよ」って？　名前なんて聞いていないから！　なんで人間なのよ！　おまけにメスだわ！　信じられないっ！

「みゃおーん！　ぶみゃあっ！」

はあああ!?　待って待って、天災みたいな異常な魔力、この人間から発しているじゃあないの！

なにこいつ？　人間のくせに尊き猫ちゃんのボスで、天災で、それなのに、……えぇっと、なんだかとってもマヌケな顔をしているわね？

すごい魔力なのは間違いないけれど、とりあえずこの人間がわたしを害することはなさそうだと理解したわ。そ、そりゃそうよね、わたしはカリスマ白猫リリーベル、英雄たちだって愛さずにはいられない、美しき聖獣なんだもの！

わたしの可愛さには、きっとドラゴンだってひれ伏しちゃうほどなんだから！

「にゃーん！」

「はいはい、興奮しているとなんて言っているか分からないから、ちょっと落ち着きましょうね〜。たくさん、歓迎してあげますからね！」

「みゃん」

ふん！　ならば、見せてもらおうじゃあないの！　人間ごときがこのリリーベルをどうやって歓迎してくれるのかをね!!

「にゃーん！」

「ふふふ、ごめんね、今日はお客様をうんと歓迎したいから、あなたたちの抱っこはまた今度！

え？　また皆で埋め立てるぞって何それ脅しているつもりなの？　はああ、いとかわゆし！　望むところよ！」

わたしを抱っこしたまま歩いていく人間に向かって、にゃおにゃお、ズルいズルい、私も抱っこ！　撫でて撫でて～と、猫たちが甘えながらアピールしている。けれど人間はそれにめろめろになってサッと撫でてやりながらも、今日はわたしが優先だからと断りを入れるではないか。

ふ、ふん！　わたしをはっきりしっかり優先するその心がけは、なかなか悪くないわよ！

元々裏庭にいたのだけど、もう少し奥の方へ進むと、なんだかとっても気持ちのいい場所に出た。なるほど、ここはとってもよく日が当たるのね。日向ぼっこにすごくぴったりな場所だわ！

「ついたわ！　ここでゆっくりしましょうね～」

そう言った人間は、その場に腰を下ろし、お尻をつけて座り始めた。ええっと、ここって結構広い屋敷だし、なんか人間も身ぎれいにしているし、あんたって貴族のオジョウサマってやつなんじゃないの？　こんなとこに座り込んでいいの？

「大丈夫よ！　だってこんな天気のいい日は、こうして芝に直接座り込むだけでも暖かくってとっても気持ちがいいじゃない？」

まあ、確かに。あんたがそれでいいなら、わたしはいいけど……。

すると、その人間はにこにこと笑顔を浮かべたまま、わたしの顔をじいっと見つめると、何気なく言った。

「瞳は青じゃなくて、緑なのねえ」

それは、決してわたしを蔑んでいる雰囲気だったわけではなかった。けれど、猛烈にカチンときて、怒りが湧いてくる。

「みゃあーん!!」

なによ、青じゃなくて緑だからなんだっていうわけ!? 緑じゃ悪い!? あっ、あんた、よく見たら瞳の色が青なのね! だから馬鹿にしているの!?

怒りを隠しもしないわたしに、その人間は満面の笑みで、というか、なんだか蕩《とろ》けるような顔で笑み崩れ、甘い声を出した。

「ううーん、緑色の瞳も、とっても可愛いでちゅね～! 宝石みたいにキラキラしてて、すっごく高貴でかわゆいわ! エメラルドみたい! でもでも、食べちゃいたくなるようなスイートさもあって、どうしよう、もう私はキュン死寸前ですよ」

……………な、なによ。……分かってるんじゃないの。


ヒナコが『萌え死ぬ』とか『キュン死に』って言ってた時は、表現が独特でやっぱり変な人よねって内心思っていたけれど、ルシルになってからはその感覚がよく分かってしまうのよね。

……本当に、なんって可愛いのかしら!? いとかわゆし!

『可愛すぎるものに触れると馬鹿になる』って言ってた意味も、レーウェンフックに来てからすぐに分かった。胸がときめきすぎて、簡単な単語以外なかなか出てこなくなるのよね。ヒナコごめん、あなたが言ってたことは全部正しかったわ！　そうだわ。今度、ヒナコを世界で一番変人と称していたマオウルドットにも、この事実を教えてあげよう。

「にゃーん！　（それでね、リリーベルは、世界で一番可愛いから、ドラゴンだってひれ伏すのよ！）」

「うんうん、そう思うわ！」

確かに、マオウルドットは私に頭が上がらない。ひれ伏すわけじゃないけれど……まあ似たようなことよね？　というか、このリリーベルちゃんもドラゴンのお友達がいるのかしら？　なんて偶然！　本当にリリーベルだった頃の私に境遇が似ているわ！

「にゃおーん！　（リリーベルは英雄たちにも唯一の存在として可愛がられてたんだから！）」

「えっ、それはすごい！」

私の飼い主たちも皆英雄だったわ！　（これは最近知ったんだけどね）まさか、そこまで一致するとは！

というかこの子、自分のことをリリーベルって名前で呼ぶの、すっごく可愛いわね。

そんな風に、あまりにも共通点が多い上に、この子がずっと「リリーベルは」と話し出すから、私はなんだか聞いてるうちに、いつの間にか自分の話をされているような錯覚を起こしていたのだ。

「にゃあ――ん！　（だから、リリーベルは誰よりも尊重されるべきだし、誰もリリーベルには逆らえないの！　だからみんなリリーベルの言うことを聞かなくちゃいけないのよ！）」

「えっと、それは違うと思うわ」

「う、うにゃん？」

だからつい、リリーベルちゃんの話を否定するようなことを言ってしまった。

「確かに、リリーベルは誰よりも尊重されたし、私は愛されに愛されたから、無下にされるようなこともほとんどなかったけれど。でもそれは愛されていたからで、みんなが言うことを聞かなくちゃいけないなんてこと、全然ないのよ」

実際、飼い主たちはとっても我が強く個性的で自由だったから、「仕方ないわねえ」なんて言いながら、私がみんなに合わせてあげることも多かった。そして、それは愛ゆえに嬉しいことでもあったのよ。好きな人に振り回されるって、幸せなことじゃない？「もう、いい加減にしてよね～」なんて言いながらも、ダメな時に頼られるのは嬉しくて特別なことじゃない？

そこまで言って、ハッとした。あらやだ、私、いつのまにか自分の話のように思っちゃってたわ！

リリーベルちゃん、気分を害しちゃったかしら？

「リリーベルちゃん、ごめんなさ……」

「にゃにゃにゃ、にゃあおーん!?（リ、リ、リ、リリーベルッ!?）」

「えっ？」

すぐに謝ろうとしたのだけど、リリーベルちゃんはなぜか自分の名前を叫び、目を見開いて、全身を震わせていた。

なんだかとっても驚いているみたいだわ。

「にゃにゃにゃ、にゃあおーん!?（リ、リ、リ、リリーベルッ!?）」

「えっ？」

なんだかおかしいと思った！　話していて違和感があったのよ！　この、この、この人間……！この規格外の魔力、猫たちに異様に慕われている姿、正直、わたしだって気を張っていなければごろにゃんと甘えかかってしまいそうな謎の吸引力よ!?　そして、リリーベルのことを、わがことのように語る姿——。

いいえ、違う、『わがことのように』ではなく、わ、わ、わがことなんだわ……！

この、この人間の正体は——カリスマ白猫、英雄たちに愛された伝説の存在、聖獣リリーベル!!

ううう、今この瞬間にもぶっ倒れていないことを褒めてほしいくらいだわっ！

なんなのよ？　だって、猫生の中で、まさかこんなことが起こるなんて思わないでしょう!?

まさか、まさか憧れのリリーベル、その本物に出会うことになるなんて——！

（いや、それにしてもどうしてよりによって人間なんかになっているのよ!?　あのリリーベルが、人間にっ！）

驚きとショックで眩暈がする。

それほど、わたしにとって、リリーベルは憧れの存在だった。自ら『カリスマ猫リリーベル』を名乗って、リリーベルのふりをしちゃうくらいには……。

「まあ、リリーベルちゃん！　大丈夫？　どこか体が辛いの？」

あまりのことにふらついてしまったわたしを、体調不良だと思ったらしい元リリーベルが、わたしのことを心配そうに覗き込み、背中を優しく撫でてくれる。

（アッ、これ、この気持ちよさ、遠い昔にママが舐めてくれたのにそっくり……——ハッ！　違う違う、そうじゃない！）

あまりの気持ちよさに、ついつい赤ん坊の頃を思い出してうっとりしてしまいかけたわたしは、必死で自分を保とうと気をしっかりと持つ。

うっとりしていないで、この元リリーベル本猫には聞きたいことがたくさんあるのよっ！

しかし、人の身に移り変わり、心まで人間に成り下がってしまったのか、元リリーベルは追撃の手を止めない。

「リリーベルちゃん、ほら、リラックスして。気分がよくなるまで、こうして撫でてあげるからね」

優しい手つきで触れられ、穏やかな声でそう囁かれ、脳内が危険信号をこれでもかと発している。

こ、これは、ダメよ……！　こんなの、かっこよくて高貴で特別なわたしを、保っていられなくなるわ……！　ここまで築き上げた、カリスマ猫リリーベルとしてのわたしが崩れ去ってしまう！

……けれど、ここに本猫リリーベルがいるわけで。ひょっとして、わたしが作り上げた偽物リリーベルなんて、別にもうすっかりさっぱり崩れ去ってしまっても、問題ないのでは？

いいえ、それとこれとは別よ！　わたしはあちこちでリリーベルの名を名乗ってきたんだもの。リリーベルとして認識されているわたしが誇り高きリリーベルのように振る舞わなければ、偉大なるリリーベル像がどこかで汚されてしまうかもしれないなんて、やだ、考えるだけで恐怖だわ……！

「よしよし、ほら、ここをなでなでするると、とっても気持ちいいでしょう？」

「にゃ、にゃあああ～ん……にゃむにゃむ」

うっ、ダメよ、ここでただ欲望と快楽に意識を飛ばしてしまえば、わたしはただの野良猫に戻ってしまう……。

「まあ、それじゃあ、あなたの本当の名前はリリーベルじゃないのね？」

元本物のリリーベルにそう聞かれて、わたしはこくんと頷いた。

一通り撫でまわされたあと、わたしは正直に本当のことを白状したのだ。だって、このままわたしの中のリリーベル像を演じ続けるだなんて、とてもじゃないけれど無理だったんだもの……。

なに？　リリーベルのこの手。わたしは物知りだから、前に聞いたことがあるわよ。動物たちに、一匹残らず天国を見せる、ゴッドハンドの噂。リリーベル、絶対にそのゴッドハンドの使い手じゃないの。

わたし、触られるのなんて、本当は好きじゃないのに、一瞬でメロメロのどろどろのふにゃふにゃにされちゃったわ。

そして、全てを白状することになったわけだ。

本当のわたしは、カリスマでももちろんリリーベルでもない、ただのしがない野良猫だった。

……ちょっと間違えたわ。ただ白い毛並みがとっても艶やかで、究極に可愛らしいだけの、ただのキュートな白い野良猫だった。可愛さと、そしてちょっと他の猫たちより旺盛な知的好奇心で情報を集めまくり、できる限り自分に有利に、楽に生きて行こうとしていた時に、リリーベルのことを知ったのよ。

衝撃を受けたわ……その存在のあまりの魅力と、かっこよさに。

そして、何よりもリリーベルって名前がすごく可愛くて、わたしは心に決めたのだ。

リリーベルが英雄の前に現れなくなってしまったのなら、わたしこそが次の『リリーベル』になろうって。

それからは、高貴な立ち振る舞いを心がけ、知っている限りの情報を駆使してリリーベルになりきった。分からない部分は、わたしなりに『こうだったのではないかしら』と肉付けしていき、もはや自分こそが本物のリリーベルであると、最近は本気でそう思ってしまっていたほどだったのに。

（本物が、こうして現れた。そして、いつの間にか傲慢になっていたわたしの心を見抜いて、それは違うのだと、導こうとしてくれた……！）

まあ、ほとんどが猫の下僕であるような、人間になっているなんて、さすがに予想外だったけれど。

「それじゃあ、あなたの本当の名前はなんていうのかしら？」

元リリーベルに聞かれ、思わずふるりと震えた。

ああ、ここまで話してしまった以上、もう隠してなんておけないわよね。

だけど、リリーベルはどんな反応をするかしら？　わたしの本当の名前を聞いて、笑う？　嘲る？　馬鹿にする？

憧れのリリーベルに傷つけられる自分を想像すればするほど言えなくなってしまいそうで、わたしはできる限り何の感情も乗せないようにして、小さく言葉をこぼした。

「にゃあ（……ゴンザレスよ）」

「えっ？」

「にゃああ！　んにゃあっ、にゃあああん!!　うにゃ……！　（ゴンザレスよ！　わたしの名前はゴンザレス！　仕方ないじゃない！　本当はこんな名前で、リリーベルに憧れちゃったんだもの、名前を騙るくらい別にいいじゃない！　だってわたし、こんなに可愛いレディなのに、どうしてゴンザレスなのッ……！）」

ゴンザレスが悪いわけじゃない。これが格好いい男の子の名前だったなら強くてたくましそうで素敵だと思うわよ。だけど、こんなに神秘的なほど真っ白で愛らしい女の子が、まさかゴンザレスなんて名前をつけられると思わないじゃない！　わたしにこの名をつけたのは、気まぐれに野良猫だったわたしを撫でた人間だったわ。別に連れて帰ってくれるわけでもないのに、足りないご飯と名前だけ与えて、それきりよ。名前には力があるの。そのあとどんな名前をつけてもらったって、やっぱり初めての名前はずうっと特別なもので、一生なくならないの。

この見た目なのにこの名前で、どれほど他の野良猫たちに揶揄われたことか！　それでも強く生きていくために、わたしは孤独を選び、自分のことを知る猫のいない場所を渡り歩きながら、高貴なリリーベルとして生きてきたのよ。

それなのに、こうして本当の名前を打ち明けてしまって。一体、今度はどんな目で見られるのか。

それを考えると、胸が苦しくて、わたしはぎゅっと目を瞑り、俯いた。

そこを、ひょいっと抱き上げられ、有無をいわさず目線が合わされる。

「どうして？　可愛いじゃあないの！」

「っ、にゃあああ！　（リリーベルは自分が可愛い名前だから、そんなことが言えるのよ！）」

「そう？　ゴンちゃんって、とってもキュートだと思うけれど。それに、名前だけを知っていて、かっこいいオスが来るのかと思ったら、絶世の美女がやってきた！　なんて、そんな場面を想像するだけでわくわくしちゃわない？　これぞギャップよね！　何もせずとも、そこにいるだけで大きなギャップを演出できるのよ!!」

な、なにを言っているの……。

「つまりね、名前は与えられたものかもしれないけれど、その名前をどう自分のものにするかは、自分自身ってこと。いやだなって思って隠すより、せっかくならとびきり素敵な自分を演出する相棒にしちゃえばいいじゃあないの！」

「にゃ……」

「話していても分かるけど、あなたってとっても賢いんだから、自分の持つものを全部自分の魅力にかえちゃうのなんて、きっと簡単にできるようになるわよ！」

わたしは震えた。わたしが一生抱えていくんだと思っていたこの重い荷物を、リリーベルは、まるで宝物のように言うの……。

リリーベルにかかれば、世界はきっと、素敵なものばかりになるんだわ……。

「それからね、私はもうリリーベルじゃあないの。憧れてくれてたのなら、抵抗があるかもしれないけれど、ルシルって呼んでくれたら嬉しいわ！」

「にゃあん……（ルシル……）」

こうして、わたしはリリーベルと名乗るのをやめた。そうするのをやめて、まるで『ゴンザレス』がこの世で一番素敵な名前かのように振る舞うようになると、なぜかリリーベルを名乗っていた時よりも、わたしに憧れる猫たちが増えたのだ。

みんな、わたしの真の名前を呼べるのは特別なものだけなのだと、その名を呼ぶのに憧れながら、親しみと愛情をこめた愛称で呼ぶの。

「ゴンちゃん様っ！　どうしたらゴンちゃん様のように、そんなに美しくなることができるんですかっ!?」

「あら、わたしのようになりたいなら、まずはわたしを目指すことをやめなさい！」

「ええっ……？」

「だって、わたしには一生かかったってなれないけれど、同じように、世界一素敵なあなたになれるのは、あなただけなんですからね！」

「ゴ、ゴンちゃん様～～!!」

「さて、それじゃあ今日はもういいかしら？　そろそろ世界一素敵なこのゴンザレス様が、ルシルに会いに行ってあげなくっちゃいけないのよ!!」

【おわり】

大魔女

運命の英雄の一人である大魔女。彼女は魔族と人間のハーフで、あらゆる魔法を高いレベルで扱うことで知られていた。特に闇魔法において彼女の右に出るものは後にも先にも存在しない。自身の出生を理由に人にも魔族にもなじめず、長い時間を孤独に生きたが、聖獣様との出会いで愛を知り、のちに大魔女として多くの人々をその類まれなる魔法の能力で救った英雄である。彼女の生きた時代は歴史上もっとも多くの悪魔の存在が確認された時代でもあり、大魔女がいなければ、人類が今も繁栄を続けることができたかどうかは明言することが難しい。

しかし、どの記録を遡っても、ある時期以降の大魔女についての記述は一切見つけることができない。

アリーチェの愛読書『運命の英雄』より

大魔女アリス

アリーチェの愛読書『英雄たちの絵画図鑑』より

あとがき

初めまして、こんにちは。星見うさぎと申します。

この度は『婚約者様には運命のヒロインが現れますが、暫定婚約ライフを満喫します！　～あなたの呪い、嫌われ悪女の私が解いちゃダメですか？～』をお手にとってくださり、本当にありがとうございます。


さて、袖コメントにも書かせていただきましたが、私は名前こそ「うさぎ」ですが、心は圧倒的猫派です。猫ちゃんが大大大好きです。疲れているとエアー猫ちゃんを愛でているという話をして、先輩作家さんに猫ちゃんのぬいぐるみ（適度に重さがあり、液体っぽいしなやかさを持つちょっとリアルめなやつです！）をプレゼントしてもらったことがあるくらいです。

ちなみに猫ちゃんが自宅にいない理由は、自営業である両親の仕事場に猫ちゃんがいるからです。家族みんな猫ちゃん大好きなので、おかげさまでうちの子たちは全員びっくりするほど甘えん坊に育っています。そんなわけで、私が日中家にいなくて寂しい思いをさせるより、ほとんどの時間に人間がいて、友達がいる環境の方が猫ちゃんも幸せだよね……と思うと、とてもじゃないけど自宅に連れて帰れないのでした。

本作はそんな猫ちゃんが大好きな私の、猫ちゃんに抱いている想いが基で生まれました。

「猫ちゃんって、息しているだけで可愛いよね」

「猫ちゃんって、自分が可愛いことを絶対分かっているよね」

「そしてそんなところも可愛いよね」

「自由で気まぐれで、ご飯が欲しい時だけ甘えてくる子もいるけど、そんなところも最高だよね」

「足とか踏んでもらえたら、嬉しすぎて思わずお礼を言いたくなるよね」

とにかく、猫ちゃんって何をしてても、どんな子でも可愛いよね。

そんな猫ちゃんが、もしも人間になったら。最高に自己肯定感が高くて、最高に可愛くて、最高に魅力的な子になるに違いない。

ルシルはこうして生まれました。


ところで、猫ちゃんって猫ちゃん好きのことが分かるという話を聞いたことがありますか？

数年前に、友人と夜の海までドライブしたときの話です。海岸公園に着いた後、私は車の中、友人は外で、窓を開けて会話をしていました。すると突然、友人が「あっ！」と声をあげたのです。

次の瞬間、驚くことに、開けていた窓から見知らぬ猫ちゃんがジャンプして飛び込んできました。

猫ちゃんは車の中をうろうろした後、当然のように私の膝の上で丸くなってスヤスヤと眠るではありませんか。外には友人がいて、普通ならそちらに近寄っていきそうなのに、どうしてわざわざ車の中へ……。それはそれは驚きました。

結論から言うと、友人は猫ちゃんが苦手だったのです。私と友人の予想では、猫ちゃんはそれが分かっていたのではないかと思います。

友人いわく、二人で話している間、実は猫ちゃんは車の周りをぐるぐると回っていたのだとか。私の声がどこから聞こえているか、探しているようだったと言われました。近くにいる猫が苦手な人間よりも、姿が見えない猫好きの人間。嗅ぎ分けていますね。

そんなこんなで、猫ちゃんは猫ちゃん好きのことが分かる説、私は信じています。

もしもこのあとがきまで読んでくださった方にもそんなエピソードがあれば、ぜひお話を聞かせていただければ嬉しいです。

猫ちゃんについて長々と語ってしまいましたが、もちろん、猫ちゃんのことが苦手だよ、という方にも、それはそれとして本作を楽しんでいただけたらいいなと心から願っています。

私は猫ちゃんが大好きですが、猫ちゃんが苦手な人の気持ちももちろん否定しません。『だって、誰にでも好みってあるよね！』


今回、Qi234先生が本作のイラストを担当してくださいました！　とんでもなく美しくて素敵すぎるイラストの数々に、毎回きゃあきゃあと大興奮して長文の感想を担当様に送りつけてしまったものです。原稿中も何度も眺めて、ずっとときめいていました。

最高に可愛すぎるルシルや憂いを含んだかっこよすぎるフェリクス、愛らしさでいっぱいのマオウルドットやリリーベル、美しくてたまらないアリス様などなど、語り始めるとキリがありません……！　イラスト自体も素敵ですが、キャラクターデザインが素晴らしすぎませんか？　全員呼吸が止まるほど素敵ですが、私が特に好きなのはアリス様です。裏表紙なんて、見ているとエモすぎて冗談抜きで涙が出てきます。

そして、気づきましたでしょうか。ルシルとリリーベルの瞳には、よく見ると肉球マークが潜んでいるんですよ！　ぜひ確認してみてくださいね。私はあまりの素敵さに悶え死ぬところでした。

Qi234先生、素敵なイラストを本当に本当にありがとうございます！


最後に、謝辞をお伝えさせてください。イラストを担当してくださったQi234先生、大変お世話になった担当様、本作を作り上げるために携わってくださいました全ての方々、さらにこの本を手にとってくださいました読者の皆様にも、心より感謝申し上げます。本当にありがとうございました。こうして私の書いたお話を一冊の本として皆様にお届けできること、とっても嬉しいです。

少しでも、楽しんでいただけていますように。

そして願わくば、この先もルシルの物語を皆様にお届けできますように。

それでは、また皆様のお目にかかれることを願って。

星見うさぎ

EARTH STAR LUNA

婚約者様には運命のヒロインが現れますが、暫定婚約ライフを満喫します！ ①
〜あなたの呪い、嫌われ悪女の私が解いちゃダメですか？〜

発行 ―――― 2023年7月3日　初版第1刷発行

著者 ―――― 星見うさぎ

イラストレーター ―――― Qi234

装丁デザイン ―――― 世古口敦志（coil)

発行者 ―――― 幕内和博

編集 ―――― 島玲緒　及川幹雄

発行所 ―――― 株式会社アース・スター エンターテイメント
〒141-0021　東京都品川区上大崎3-1-1
目黒セントラルスクエア　7F
TEL：03-5561-7630
FAX：03-5561-7632
https://www.es-luna.jp

印刷・製本 ―――― 図書印刷株式会社

ISBN 978-4-8030-1803-5